ANTICIPATION

JOËL HOUSSIN

Blue

FRONTISPICE DE
PETER PUSZTAI

Vignette de couverture:
Vloo - Young Artists - John Harris

ISBN 2-8302-1118-9

16 398 012 (

CHAPITRE PREMIER

Starlette commençait à me débecter. Je comprenais maintenant pourquoi Blue l'avait larguée. J'aurais dû me douter. Et moi, bonne pomme, quand je l'avais vue, toute seule sur ses roulettes, au beau milieu de la piste du Trocade, j'avais rien trouvé de mieux que de lui proposer la botte. L'occase, le pigeon inespéré, elle avait plongé à pieds joints, me faisant croire, poussant le vice qu'elle avait grossier, que j'avais tout juste la pointure pour la mériter. C'est sans doute de l'avoir aperçue si souvent aux côtés de Blue qui m'avait trompé. La régulière du chef, évidemment. Elle en jetait à l'époque. Saboulée brillance, sa chevelure noire interminable qui flottait comme l'étendard des Patineurs quand elle dévalait, l'œil souligné velours, les toboggans du Champ-de-Mars. J'aurais parié qu'un envieux, sur un coup de folie, aurait pu décapiter Blue pour cette gonzesse.

A mourir de rire. J'en avais pourtant rêvé, et pas qu'une nuit, de la petite étoile bleue qu'elle s'était tatouée sous l'œil gauche, symbole d'amour et de soumission à Blue. Elle l'avait tellement frottée, grattée, pour s'en débarrasser après avoir été humiliée, qu'elle n'était parvenue qu'à la transformer en un chancre purulent, un cancrelat qui n'en finissait plus de suinter sur sa pommette. J'avais plus d'illusion à son sujet. Starlette, depuis qu'elle vivait avec moi, valait plus un pet de lézard. Naze complète. Y avait au moins cinq cents frangines, rien que dans le clan des Patineurs, qui la surclassaient. Et en la regardant, là, à se brosser ses longs tifs graisseux, je me demandais si c'était pas carrément la plus moche de toute la ville. Le pire, c'est que je pouvais pas me résoudre à la virer. J'étais en âge d'avoir quelqu'un à domicile pour me désinfecter les plaies. Alors... Starlette ou une autre...

Je me levai, d'humeur maussade. Starlette posa sa brosse et se détroncha, sans s'apercevoir que j'avais pas, mais vraiment pas, envie de lui parler.

— Tu t'en vas ?

— Oui. Je dois préparer la réunion avec Blue.

Pourquoi me sentais-je obligé de lui donner des explications ?

J' pouvais quand même, moi, Tout Gris, pousser la roulette sans avoir à lui rendre des comptes.

Elle hocha la tête.

— C'est pour bientôt ?

— Cinq jours.

Je répondais, docile. Je me suis demandé, un instant, si elle avait pris cette habitude de poser des questions avec Blue. Probablement pas. Ce défaut, elle l'avait sûrement contracté ici, à mon contact, qu'elle pressentait suffisamment tendre pour y passer la main. On avait jamais dû lui expliquer les dangers de l'eau qui dort.

— Et Blue veut faire passer les Patineurs ? insista-t-elle.

J'avançai vers elle, mauvais.

— Qu'est-ce que ça peut te foutre ?

Elle se mit à me regarder, silencieuse. L'espace d'une seconde, j'eus l'impression de retrouver la Starlette flamboyante, celle qui d'un regard, comme un tisonnier porté au rouge, vous mettait le désir à jour, celle qui trônait à la droite de Blue. Ce n'était qu'une impression, fugitive, comme une flammèche sur un tas de cendres. Bien vite, elle reprit sa brosse et sa tronche d'Errante. A gerber.

— Rien, Tout Gris, lâcha-t-elle du bout des lèvres. Absolument rien.

Je restai un moment immobile, au milieu de la pièce, à la frimer se démêler les crins, sans conviction, mécanique. J'aurais bien voulu savoir à quoi elle pensait en sacrifiant à cette interminable cérémonie capillaire, mais ce dont j'étais certain, c'était que ça servait à rien de lui demander. Pas simple. Je regrettais le temps béni des Mères du clan.

— J'y vais, murmurai-je, gauche.

J'avais vraiment pas besoin d'ajouter ça. Ce sentiment de maladresse, ajouté à la rogne, je décidai d'arrêter de gamberger au sujet de Starlette et je me cassai, claquant violemment la porte, comme si le courant d'air pouvait gommer l'embrouille naissante.

SOYEZ VIGILANTS

Blue rampa à l'intérieur du blockhaus. Il se déplaçait terriblement vite, le ventre râpant le béton, sa puissante musculature soulignée de cicatrices roulant sous sa peau. On l'aurait bien imaginé, Blue, caïman. Capable de rester des heures parfaitement immobile, véritable tronc mort, et de fondre, meurtrier, sur un adversaire. Il dirigeait pas le clan des Patineurs pour que dalle. Son sceptre, il en avait pas hérité. Il s'était battu pour ça. Et salement. La seule et unique chance qu'il avait eue, finalement, c'est de n'avoir point succombé à ses blessures. Preuve que Starlette savait raccommoder la tripaille meurtrie.

Blue se dressa lentement sur les coudes et amena son visage à hauteur de la meurtrière. D'abord, il ne vit rien, si ce n'est la dizaine de rangées parallèles de barbelés et le Mur sinistre qui se dressait derrière.

AU-DELA DE CE MUR, PAS DE FUTUR.

Le premier Néon apparut dans son champ de vision. Il marchait lentement, péniblement, en sautillant à chaque pas, comme si la position verticale ne lui était pas naturelle. Blue l'observa attentivement. C'était un Néon semblable à tous les autres, à demi nu, velu, le visage aussi grossièrement taillé que les hommes du Néanderthal et une tête de mort collée sur le dessus de son crâne. Sur ses joues, la double trace phosphorescente de sa caste. Celui-là portait sa lance sur l'épaule et ne semblait guère attentif à ce qui se passait autour de lui.

Il circulait entre la première et la seconde rangée de barbelés. A un jet de hache. Blue aurait pu le descendre, là, tout de suite. Mais Blue savait mieux que personne combien cette apparente lourdeur des Néons était trompeuse. Il n'existait pas pire combattant.

Les Néons étaient des guerriers. Ils naissaient, croissaient et se multipliaient avec la seule volonté d'empêcher tout étranger d'approcher leur Mur. Car c'était leur Mur. Forcément. Il ne venait pas à l'esprit de Blue qu'on puisse défendre avec tant d'opiniâtreté le Mur des autres. Par contre, ce qu'ils protégeaient, ces géants de guerre, ce qu'ils dissimulaient derrière ce rideau de béton, ça, personne ne le savait. Des clans autrement plus structurés et puissants que celui des Patineurs s'y étaient aventurés. En vain. Les Néons, jusqu'ici, avaient repoussé toutes les attaques.

On racontait que les Musuls, il y a une vingtaine d'années, régnants alors en maîtres absolus sur la Cité, sans l'ombre d'un partage, avaient livré aux Néons un combat qui avait duré six jours et six nuits. Ils s'en retirèrent éreintés, ayant perdu dans cette guerre le plus clair de leurs forces. La Cité, libérée du joug des Musuls, avait alors éclaté en une multitude de clans divers qui se partagèrent les quartiers. La guérilla qui suivit la défaite des Musuls, chacun cherchant à grignoter le territoire de l'autre, dura, elle, plus de cinq longues années, faisant davantage de morts que toutes les insurrections qu'avait connues cette Cité depuis sa fondation.

C'est durant cette sanglante période que Blue s'imposa comme chef des Patineurs. Blue était un chef de guerre. Il était né dans un berceau de violence, et, s'il avait été à l'origine de la première trêve entre clans, il n'en avait pas moins imposé à ses hommes un état permanent de coup de force. Avec les Patineurs, trois autres clans parmi les dominateurs avaient accepté la paix. Les Skins, les Youves et les Bouleurs établirent en compagnie de Blue les limites de leurs quartiers respectifs. Hormis quelques brèves échauffourées, l'accord fut respecté. On se tuait bien encore un peu, mais tout cela restait dans les limites du raisonnable.

La réunion des représentants des quatre clans devint annuelle. On y décida, entre autres choses, de la protection des Krishies, inoffensifs et passablement débiles, mais qui offraient l'avantage, jugé d'importance, d'approvisionner la Cité en nourriture. Leur massacre, devenu un jeu pour les gosses, devait cesser. Ce fut fait. On laissa les Krishies élever leurs troupeaux et chanter en paix. Blue, on le sentait à sa façon d'en parler sans discontinuer, radotant même sans que jamais personne n'ose pourtant l'interrompre, était particulièrement fier de sa réussite.

Bien que quelques clans, et non parmi les moindres, persistent à se tenir à l'écart de ces réunions au sommet, Blue, orgueilleux, prétendait qu'il les en avait exclus. Peut-être même, finalement, qu'il y croyait... Fallait vraiment être né de la dernière baston pour croire que Blue avait pu, un jour, imposer quoi que ce soit aux Musuls, repliés désormais et toujours féroces, aux Saignants, ces malades du surin qui lui avaient taillé, à lui, Blue, un joli relief sur l'abdomen, ou aux Errants, qui, bien que ne formant pas réellement un clan, n'en demeuraient pas moins dangereux.

Toutes ces tribus, aussi différentes qu'elles puissent être, tant dans leurs mœurs que dans leur physique, avaient cependant un espoir commun : passer le Mur. Franchir. Passer.

Même les Errants, réputés tueurs isolés, et dont on recensait difficilement le nombre et la puissance, sinon lorsqu'ils s'amusaient à déglinguer les mômes du haut des toits avec leurs flingues à laser, s'attaquaient régulièrement aux Néons, se contentant, apparemment, d'en réduire les effectifs en attendant mieux.

Ce mieux-là, dont tout habitant rêvait lorsque le petit jour grisaillait les tours éventrées de la Cité, Blue venait de décider de s'y attaquer. Jamais les Patineurs n'avaient été aussi forts. Pour Blue et les siens, plus aucun doute, le moment était venu de se frotter aux Néons.

Guerrier lui-même, il appréhendait mieux que quiconque la difficulté de la tâche. Lancer ses troupes à l'assaut du Mur, contre les Néons, c'était aller au-devant d'une abominable débâcle, laissant les Patineurs, affaiblis, à la merci des Saignants, à l'affût du moindre relâchement, ou des Musuls, qui pouvaient bien un jour se réveiller. Le danger était de taille. Mais passer...

***

SOYEZ VIGILANTS.

Le mot d'ordre des Néons. Inscription répétitive sur des kilomètres de béton. Comme si ces fumiers risquaient de l'oublier...

Blue fixait toujours le Néon. Un instant, le gardien lui fit face. Blue se mit à frissonner. Il lui sembla que les orbites vides de la tête de mort l'observaient, que le couvre-chef macabre allait révéler à son porteur la présence d'un étranger. Le Néon hésita, puis reprit sa ronde, d'un pas lent et mesuré.

Blue, hypnotisé par le crâne, se secoua. L'idée revint dans son esprit, envahissante, coulant de nouveau dans ses veines comme une rivière un instant détournée par un barrage de fortune.

Passer !

Pour cela, il n'existait qu'une solution. La réunion des chefs devait se tenir dans cinq jours. Il faudrait absolument convaincre les trois autres clans de participer à l'assaut, de s'unir aux Patineurs. Le projet semblait extravagant, mais pas pour Blue. Avec les Skins, les Youves et les Bouleurs, Blue pouvait réunir une armée encore plus puissante que celle qu'avait possédée les Musuls. Et qui sait, face à cette coalition, les autres décideraient-ils de s'y joindre ? Alors, et seulement alors, les Néons livreraient-ils leur secret...

Blue quitta son poste d'observation et rampa vers la sortie du blockhaus. Depuis quelques mois maintenant, de nombreux espions Patineurs surveillaient ainsi les abords du Mur, observaient les rondes des Néons, répertoriaient les concentrations d'hommes. Blue ne voulait rien laisser au hasard.

Il s'extirpa, grimaçant, de l'entrée du blockhaus aux trois quarts bouchée.

Il vit d'abord le bout pointu et métallisé de leurs boots. Leur uniforme de cuir noir moulant, ensuite. Et pour finir, leurs sales tronches d'adolescents assassins. Seigneur ! Ces types ne devaient pas savoir ce qu'était la flotte.

Les Saignants ricanaient. L'un d'eux, qui mâchonnait ce qui avait dû être le manche sculpté d'un couteau, s'approcha du Patineur. Blue se mit à trembler. Pas de peur, non, mais de rage impuissante. Se faire suriner, là, comme un vulgaire Krishie, et si près de l'aboutissement de son grand projet, c'était réellement trop stupide.

— Alors, p'tite roulette ? se marra le Saignant. On s' promène ?

Blue garda le silence. Il tenta de se relever, mais l'autre le repoussa sèchement du bout de sa botte. Il ne riait plus. Son visage marbré de crasse était déformé par la haine.

— T'es un ringard, Blue! grogna-t-il. Un minable ! N'importe lequel de nos gosses pourrait te tailler une boutonnière. Et ça s'rait même pas un entraînement sérieux !

Il cracha entre les mains de Blue.

— Une vraie croix ! lâcha-t-il, méprisant.

Il se retourna, dégoûté par le manque de réaction du Patineur.

— Allez, amène-toi p'tite roulette, ordonna-t-il finalement. Le chef veut te causer.

Blue masqua sa surprise. Ça signifiait quoi, au juste, cette convocation ? Ils avaient tout de même pas l'intention de le prendre en otage. Aussi estimé qu'il était des Patineurs, ils n'auraient pas cédé un pouce de terrain aux Saignants pour lui sauver la peau. Alors ?

Il se releva. Deux des Saignants, le front barré par leurs bananes luisantes de graisse, s'approchèrent à leur tour et glissèrent une cagoule sur la tête de Blue. Cette précaution, curieusement, rassura le Patineur. Ils ne voulaient pas qu'il sache à quel endroit ils l'emmenaient, c'était donc, à l'évidence, parce qu'ils avaient l'intention de le relâcher.

Blue était de plus en plus perplexe.

CHAPITRE II

Aussi loin que pouvaient remonter les souvenirs de Blue, La Lame avait toujours été le chef des Saignants. Il était si vieux, ce type, qu'on racontait qu'il avait vécu jusqu'à l'avènement du clan. Avant l'existence du Mur, l'époque où la Cité dépendait encore d'un Etat, le temps où les premiers Saignants avaient créé leurs bouclards minus, avaient lancé la fabrication artisanale des surins de combat rapproché. Le début du mythe de la saccagne pour lequel les parents de ces malades se faisaient encore tatouer des poignards sur toute leur surface de peau.

La Lame, pourtant, n'avait rien d'un patriarche ventripotent qui se serait contenté de veiller sur ses troupes. On le savait, il était de tous les coups durs. Un sale fer. Renonçant jamais à éventrer son prochain. Le plus spectaculaire chez La Lame, c'était sa banane. Véritable exploit capillaire. Elle prenait son virage à plus de vingt centimètres de son front, à croire qu'il se la gominait au ciment. La hiérarchie, dans le fond, chez les Saignants, se mesurait peut-être à l'ampleur de la banane. Ils étaient bien capables d'une pareille connerie, ces tordus ! A part ça, il était couturé de partout, comme si des vicelards jaloux s'étaient amusés à jouer au morpion sur sa frime. Tout en croix, en ronds et en balafres, il était, La Lame. Et au creux de chaque sillon de chair, une invraisemblable couche de crasse. A ce point-là, il devait accumuler depuis sa naissance.

La Lame était devenu un Totem. Une légende vivante.

On poussa Blue en avant et on lui retira la cagoule. Le Patineur cligna des yeux.

— Salut, Blue, rigola La Lame, découvrant ses gencives édentées.

Blue hocha la tête.

— Salut, La Lame, répondit-il.

Le Saignant se pencha en avant, posant sur ses genoux ses mains constellées de tibias entrecroisés.

— Alors, Patineur? grinça-t-il. On se fait faire aux pattes par une bande de jeunots maintenant ? On dirait que ça baisse drôlement, le niveau, chez vous !

Les Saignants qui entouraient leur chef se mirent à glousser, genre basse-cour au moment de la becte.

— Vos gueules ! hurla La Lame.

Le silence revint instantanément. La banane du chef oscilla dangereusement.

« Si ça se casse la gueule, songea Blue, il va en avoir jusqu'au menton. »

— Pourquoi tu souris ? demanda le Saignant.

— Pour rien.

— Ouais..., grommela La Lame. Alors ? C'est pour bientôt votre petite réunion à la con ?

Blue se racla la gorge.

— Si tu voulais en être, t'avais pas besoin de faire tout ce cirque. Suffisait de m' le demander gentiment.

La Lame blêmit. Blue se demanda un instant s'il n'avait pas poussé le bouchon un peu loin.

— Moi ! explosa le Saignant. Participer à vos singeries ? Parole, tu m'as confondu avec un autre ! T'es pas avec tes pédés sur roulettes, ici !

De nouveau une série de gloussements. Blue serrait les dents. Dans d'autres circonstances, pour cette insulte, il aurait fendu La Lame de part en part, tout chef des Saignants qu'il était. Seulement, là, il ne pouvait qu'encaisser.

La Lame, furieux, se tourna vers ses hommes.

— Foutez le camp d'ici si vous n'êtes pas capables de la boucler !

Les Saignants hésitèrent et se regardèrent, étonnés.

La Lame agita sa main droite, comme s'il chassait une poussière.

— Allez, tirez-vous !

Un à un, les Saignants se retirèrent de la pièce, jetant au passage à Blue des regards assassins. Dépités, probable, de ne pouvoir s'en tailler une tranche. Lorsque la porte fut refermée sur le dernier des surineurs, La Lame se détendit. Il croisa les jambes et rabattit le bas de son cuir sur ses bottines.

— On va pouvoir causer maintenant, déclara-t-il. Vas-y, Mèche Bleue, tu peux t'asseoir.

Il avait volontairement employé le premier surnom de Blue. Celui que les anciens lui avaient donné en le voyant, le crâne entièrement rasé à l'exception d'une longue mèche, teinte en bleue, qui lui descendait jusqu'au cou, par-dessus l'oreille droite. Mèche Bleue. En vieillissant, le Patineur avait préféré qu'on l'appelle Blue, comme par une de ces coquetteries de grand-mères qui veulent qu'on les surnomme Mammy plutôt que Mémé. La cure de jouvence par l'anglicisme.

Mais, ce jour-là, dans la bouche de La Lame, son premier surnom recouvrait une certaine forme de respect.

Blue demeurait sur ses gardes. Il se contenta de prendre un siège, comme il y avait été invité.

La Lame, soudain balourd, se lissa la banane du creux de la pogne, délicat. Il regardait le Patineur, indécis.

— Tu voulais me parler de quoi ? fit Blue, décidant de prendre les devants.

La Lame décroisa les jambes.

— J' veux savoir c' que tu prépares, lâcha-t-il.

Blue haussa les sourcils.

— Tu t'intéresses à nos singeries, maintenant ?

La Lame eut un geste d'agacement.

— Laisse tomber ça ! Et dis-moi... T'as l'intention de passer, pas vrai ?

Blue fit la moue.

— Qu'est-ce qui te fait dire ça ?

La Lame se mit à grimacer.

— Ne joue pas au con avec moi ! avertit-il. Ça fait un moment que tes guignols tournent autour des Néons. Si tu crois que votre manège est passé inaperçu...

— Bon, convint Blue. Admettons que t'aies raison et que je décide de tenter le passage. En quoi ça te concerne ?

La Lame se mit à tousser, convulsif. Une toux sèche, malsaine. Le Saignant se comprima la poitrine à deux mains, comme s'il voulait lutter en combat régulier contre le crabe insidieux qui lui rongeait les éponges, se détroncha soudainement et cracha sur le sol. Blue regarda un moment le vigoureux glaviot veiné de rouge.

La Lame reprit sa respiration. Il était devenu bien plus pâle et les marbrures de crasse ressortaient sur son visage.

Blue releva la tête.

— Eh oui ! articula La Lame en hochant tristement la tête. J'ai la mort là-dedans. Je suis en train de passer la main, Mèche Bleue.

Il fit une courte pause.

— Les autres commencent à s'en rendre compte, reprit-il. Dans quelques mois, quelques jours peut-être, j'arriverai plus à les tenir. Alors, et c'est ça que je ne voulais pas qu'ils entendent, j' veux te demander un service, Blue.

Blue était pétrifié. Il prenait une de ces grandeurs, La Lame, dans l'agonie, qu'on lui aurait pas supposée. Il en imposait, et Blue comprenait à présent comment ce type avait réussi à tenir sous la botte tous ces fanatiques de l'arme blanche.

Sans attendre d'encouragement de la part du Patineur, La Lame poursuivit :

— Avant de crever, Mèche Bleue, j' voudrais essayer de passer, moi aussi.

Je commençais à l'avoir mauvaise. Déjà deux plombes que je poireautais en compagnie du Marrant. Son ricanement nerveux, à celui-là, commençait à me porter sur le système. Son surnom, vraiment, il le méritait pas. Y avait rien de plus sinistre au monde que ses convulsions de hyène malade. Cette sinistre manie, ça l'avait plus quitté depuis que, tout môme, il avait vu sa mère se faire enfoncer la tronche par une bande de jeunes Bouleurs. On l'avait retrouvé là, sans savoir depuis quand il y était, assis sur le cadavre, ricanant comme un barjo. On n'avait jamais compris pourquoi les Bouleurs l'avaient épargné, lui. Peut-être, après tout, que le fou rire de ce gosse qui venait de voir sa mère mourir leur avait flanqué les jetons ? Marrant, c'était réellement tout, sauf un rigolo. Plus sadique quand on coinçait un étranger, y avait pas. C'était le seul moment, d'ailleurs, quand il coupait un gonze en morceaux, qu'il ricanait plus. Un soulagement. Malheureusement, sous sa pogne assassine, l'accalmie durait pas longtemps.

Qu'est-ce qu'il pouvait bien branler, Blue ? Je lui avais jamais connu un retard pareil. Surtout pour préparer la réunion dont il faisait volontiers sa fierté. Tout doucement, comme une fuite de flotte, je sentis l'inquiétude m'envahir. Je me tournai vers Marrant, agacé.

— Dis, Marrant, tu pourrais pas t'arrêter de ricaner, pour une fois ?

Marrant se tourna vers moi.

— Est-ce que j' te demande d'arrêter d'avoir les cheveux gris ? rétorqua-t-il, entre deux gloussements.

Je fermai ma gueule. Moi aussi, on m'avait retrouvé près du cadavre de ma mère, dépecée par les Saignants. J'avais trois piges, à peine. On venait juste de me coller mes premières roulettes. Depuis ce temps-là, cette minute-là devrais-je dire, mes crins avaient poussé blancs comme neige. Marrant ricanait, et moi j'avais les douilles couleur argent. Une réaction différente pour une même cause. Marrant, dans le fond, c'était mon frère de malheur.

Pour m'interrompre la gamberge morose, Bulldozer rallégeait, décontracté, à la bourre comme d'ordinaire, poussant peinard la roulette du poids de ses cent cinquante kilos. Etonné déjà, ce glandeur, de nous voir plantés devant la salle de réunion dont Blue, seul, détenait la carouble.

— C'est fini ? demanda-t-il.

On le sentait désireux que ça le soit. Impatient de retourner à de mystérieuses occupations dont personne ne connaissait exactement la teneur. Déçu, il l'était. La mine déconfite, il se tourna vers moi.

— Ben... Qu'est-ce qu'on attend ?

— T'as pas vu Blue ? demandai-je, éludant sa question.

Il gonfla les joues, à la manière des poissons-globes pour intimider les intrus.

— Si. Y a deux ou trois heures de ça. Il partait reluquer les Néons.

Un jet de bile me creusa l'estomac. Blue, seul, du côté du Mur, je pressentais une suite fâcheuse.

Blue s'agita sur son siège. Il entendait des rires étouffés derrière la lourde. Il se demanda si, des fois, La Lame était pas en train de l'emmener en barlu. Pourtant, le molard strié de raisiné, c'était pas du flan. La mort, elle lui avait bel et bien planté ses griffes dans le buffet, au Saignant, et ça le rendait forcément crédible. Quant à Blue, il savait que sa survie dépendait de la réponse qu'il allait donner à La Lame. Du travail sans filet.

— Tu vois les choses comment ? demanda-t-il, en guise de préambule.

— Tout seul, avec tes Patineurs, t'as aucune chance, répondit aussitôt La Lame.

Blue hocha doucement la tête.

— P't'être bien...

— Y a pas de p't'être bien ! coupa sèchement le Saignant. T'as aucune chance, un point c'est tout ! Les Néons vont vous couper en morceaux, tous, jusqu'au dernier.

Il posa une main sur sa poitrine, réprimant, peut-être, une nouvelle crise qui lui arracherait un nouveau morceau de poumon.

— Et j' te dis ça, Blue, comprends-moi bien. Que tu te fasses descendre avec toute ta tribu, j' m'en tape. Ça devrait même plutôt me réjouir. Mais, nom de Dieu, j' veux passer ce foutu Mur avant de crever !

Blue plissa les yeux.

— Dis donc, La Lame, tu serais pas en train de me proposer une association ?

— T'aurais quelque chose contre ?

Blue sentit la menace.

— Non, murmura-t-il. Je suis plutôt pour.

La Lame grimaça.

— Plutôt ? Pourquoi plutôt ? Je te rappelle, au cas où tu viendrais à l'oublier, que t'es pas tellement en position de dicter tes conditions.

Blue se gratta la joue.

— T'es vraiment sûr de pouvoir convaincre tes dingues de s'associer avec mes hommes ?

— C'te bonne paire ! explosa La Lame. Tu crois p't'être que j' vais passer la main ? Occupe-toi de ton clan et je m'occuperai du mien. Et va pas te coller autre chose dans la tête.

Blue joignit ses mains, comme s'il allait se mettre à prier.

— Les Saignants et les Patineurs, souffla-t-il, se préparant à planter sa dernière banderille, tu crois que ça sera suffisant pour flanquer la pile aux Néons ?

— Ça s'ra toujours plus efficace que séparément, grogna La Lame, qui commençait à se demander où voulait en venir le Patineur.

— Oui, rétorqua Blue, mais moins que si on avait les autres avec nous.

La Lame fronça les sourcils.

— Les autres ? Quels autres ?

— Ben, j' pensais aux autres clans dominants. Aux Bouleurs, aux Skins et aux Youves.

Une nouvelle quinte déchira La Lame. « Pourvu qu'il crève pas tout de suite », espéra Blue. Les autres, derrière la porte, ne devaient attendre que ça pour venir lui tailler sa dernière boutonnière.

La Lame se calma. Il fixa Blue de son regard injecté.

— Les Bouleurs, hein ? Les Skins et les Youves, hein ? Bref, tous ceux qui fréquentent tes réunions à la con ! J' sais pas, Blue, ce qui me retient de t'égorger sur place.

— Je n'ai cité que ceux qui étaient susceptibles d'accepter, fit Blue, tentant de renverser la vapeur. Et s'ils apprennent qu'on est associé, ils pourront pas refuser. Ils auraient trop la trouille qu'on se retourne contre eux.

Il écarta les bras, résigné.

— Enfin, puisque t'es contre...

La Lame se mit à marmonner, ce qui était

sans doute sa façon de réfléchir. Il se décida, finalement.

— C'est quand, au juste, ta réunion? demanda La Lame.

Blue comprit aussitôt qu'il venait d'emporter le morceau. Il réprima un soupir de soulagement.

L'attente devenait vraiment longuette. J'étais à bout de nerfs et, si j'avais eu un peu moins les jetons d'une réaction possible de Blue, j' me serais tiré, laissant le Marrant se marrer et Bulldozer se ronger les ongles en proférant des obscénités.

En bas, dans la cour, près des toboggans d'accès à l'esplanade du Trocade, un remue-ménage éclata. Je me détronchai, croyant à un début de baston. Je me réjouissais à l'avance du spectacle. Une bonne rixe, bien solide, le bruit des os qui craquaient sous les coups de patins, c'était exactement ce qu'il me fallait pour m'apaiser la grogne. Le renaud intérieur, les Mères vous le diront, y a rien de pire. Une fuite de poison qui se distille lentement dans vos veines, vous rendant sec avant l'heure. Mieux valait cogner. Malheureusement, affronter Blue était largement au-dessus de mes possibilités. A défaut, je me contenterais de regarder les autres s'aligner consciencieusement en poussant des cris d'Apache.

Y avait pas de bagarre. Je vis apparaître une

interminable bagnole américaine qui gravissait les derniers mètres du toboggan, son V8 rugissant.

— C'est le Jongleur ! s'exclama Bulldozer, heureux comme un môme. Il a encore réussi à tirer une caisse !

Le Jongleur, comme chouraveur, il avait pas son pareil. Il approvisionnait le clan en matériel. On pouvait lui demander n'importe quoi, il le ramenait dans les deux jours, avec le sourire satisfait d'un gosse qui vient de faire une bonne farce. Ces derniers temps, une lubie, il s'était pris de passion pour les voitures, pour les grosses. Il disparaissait des jours entiers, sillonnant les artères de la Cité, franchissant les frontières, aussi insaisissable qu'une anguille, jusqu'à ce qu'il découvre la tire de ses rêves. Le vol, avec Jongleur, ça devenait de l'art, de la haute voltige.

Je le frimai, sortir de son paquebot, levant les bras en signe de triomphe. Les Patineurs tourbillonnaient autour du butin, faisant claquer leurs roulettes sur le béton. Applaudissement rituel. Curieusement, de voir le Jongleur debout sur le toit de son engin, je me sentais amer. Lui, au moins, il était bon à quelque chose. Il servait le clan, en s'amusant de surcroît. Mais moi ? Moi, à part suivre Blue comme un clébard paniqué à l'idée de paumer son maître...

— Qu'est-ce que c'est que ce bordel ?

Je me retournai.

— Blue...

Il me toisa un instant, surpris sans doute par le ton de ma voix.

— Quoi, Blue ? demanda-t-il.

Je haussai les épaules.

— Rien. On s'inquiétait, c'est tout.

Blue poussa un grognement.

— Effectivement, c'est tout. C'est tout ce que vous savez faire, vous inquiéter.

Putain, l'humeur ! Même le Marrant ricana moins fort.

Blue repoussa sa mèche qu'un courant d'air lui rabattait sur le visage et revint au spectacle de la cour.

— C'est le Jongleur, répéta Bulldozer.

— J'avais vu, merci. Va me le chercher.

Bull se le fit pas dire deux fois. Il s'élança, moins désinvolte qu'à son arrivée, vers la piste Accordéon qui menait à la cour où le Jongleur continuait à se faire mousser. Je me demandai un instant si son succès n'allait pas finir par porter ombrage à Blue.

D'une poussée de roulettes, j'entrai dans la salle de réunion. Blue prit place dans l'unique fauteuil qui n'était pas éventré, un siège de dentiste d'où s'échappaient encore des lambeaux de tuyaux divers et d'appareillage compliqué. Marrant s'installa à mes côtés. Je jetai un rapide coup d'œil sur les murs de la salle, constellés du sigle des Patineurs, deux cercles imbriqués transpercés de deux flèches, et je remarquai la grande carte que Blue avait clouée sur les montants d'une fenêtre. Ça représentait, très approximativement, le plan de notre territoire et tous les accès au Mur que nous avions surveillé ces derniers mois. Blue, par prudence, avait omis de tracer les artères stratégiques du quartier.

— Je pense que vous avez tous compris pourquoi je vous ai demandé de venir, commença-t-il.

Blue attendait une réponse. Je la lui donnai :

— On va tenter le passage.

Il hocha la tête et se mit à tripoter un bout de tuyau.

— Oui, on va passer, rectifia-t-il.

Il ne semblait pas beaucoup apprécier le verbe tenter que j'avais employé. A son goût, il y avait déjà là une notion de défaite qu'il n'acceptait pas.

Cette confirmation de son projet me fit un choc. J'avais beau savoir que tout ce manège autour des Néons n'était pas pour la peau, que Blue nous mijotait un grand truc, ça me fit tout de même l'effet d'un coup de patin en plein front. Je restai assommé. Apprendre qu'on va mourir, et sous les caresses pas particulièrement tendres des Néons, y avait guère que Marrant que ça faisait rire.

— On n'a jamais été aussi prêts que maintenant, continua Blue, pas sensible à mes états d'âme. Inutile d'attendre qu'une nouvelle guérilla vienne nous affaiblir.

Il se tourna vers moi. Son regard de glace me transperçait. Je ne doutai pas une seule seconde qu'il ne devine mon désarroi et mon peu d'enthousiasme à l'idée d'affronter les Néons.

— Qu'est-ce que t'en penses, Tout Gris ?

J'esquissai une légère moue.

— Je pense que tu as raison. Le clan n'a jamais été aussi riche en combattants de valeur.

Blue ne me quittait pas des yeux. Ma réponse un rien fuyante devait l'amuser.

— Et t'estimes nos chances à combien? insista-t-il.

Je ne parvenais pas à piger pourquoi il me provoquait comme ça. D'ordinaire, il se passait tout à fait de mes conseils. Des miens, et de ceux des autres, d'ailleurs. Sa confiance absolue en lui-même, en son propre jugement, frisait l'hystérie. Pourtant, sous sa coupe, la tribu des Patineurs était devenue une caste redoutée, sinon redoutable, qu'on n'attaquait plus sans biscuits.

J'hésitais. Il me relança :

— Alors, Tout Gris ?

J' me mouillai pas.

— C'est difficile à dire..., articulai-je.

Blue gloussa.

— Je l' vois bien que c'est difficile ! Ça fait dix minutes que tu te mords les joues pour pas jacter.

Fouetté, je balançai mon paquet :

— Une chance sur dix mille.

Marrant toussa. Il me voyait pas beau sur ce coup. J'eus même l'impression qu'il s'écartait discrètement de moi, craignant, probable, les éclaboussures.

— Optimiste avec ça ! rigola Blue, décidément déconcertant.

Il reprit son sérieux.

— Et toi, Marrant, ton avis ?

Je réprimai un soupir de soulagement, satisfait que la tension se reporte sur un autre. Marrant se tortilla sur son siège, faisant couiner les ressorts fatigués.

— On passera ! déclara-t-il d'une voix forte.

Blue souriait. Je surveillais sa réaction.

— T'es sympa, Marrant, mais t'es con.

Je tombai des nues.

— C'est Tout Gris qui a raison, poursuivit Blue en se pétrissant le bas-ventre. Il est lucide.

Il se tourna vers moi, brusquement moins engageant.

— J'aime bien les gars lucides, grogna-t-il. Y en faut pas trop, mais y en faut.

Blue était sûrement un type remarquablement intelligent, mais il fonctionnait selon des codes et des schémas extrêmement simples. Ça devait lui faciliter la vie. Il ne s'éparpillait jamais. Ce que j'ignorais, c'est s'il avait adopté ce mode de conduite pour son propre confort ou parce qu'il avait jugé que telle devait être l'attitude d'un chef.

Blue s'allongea sur le fauteuil de dentiste et croisa ses mains derrière sa nuque.

— Supposons maintenant, murmura-t-il, comme s'il se parlait à lui-même, que les Skins, les Youves et les Bouleurs acceptent de se joindre à nous.

J'aurais appris que Blue filait le chouette aux Musuls que ça m'aurait pas fait pire. J'étais pétrifié. Me demandant si le duce balancé par

Blue n'était qu'un charre destiné à tester nos réactions ou, au contraire, s'il venait de nous annoncer une décision qu'il avait déjà prise. Je surveillais Marrant du coin de l'œil. S'associer avec les Bouleurs, eux qui avaient déchiqueté sa mère, il devait pas l'avoir joyeuse. La preuve, il ricanait plus.

CHAPITRE III

Bulldozer entra dans la salle, flanqué du Jongleur qui souriait toujours, assez fier de lui, s'attendant probablement à de nouvelles félicitations.

Blue s'installa sur le flanc, fixant les nouveaux arrivants d'un œil peu amène. Le Jongleur, troublé par la fraîcheur de l'accueil, se racla la gorge et prit une chaise tandis que Bulldozer prenait place de l'autre côté de la table.

— Qu'est-ce que c'est que cette bagnole ? demanda Blue.

Le Jongleur nous jeta un rapide regard interrogateur avant de répondre. Il aurait bien voulu savoir quelle mouche piquait Blue. Il croisa les bras sur son abdomen.

— Une américaine, expliqua-t-il. Entièrement équipée. Blindée, avec lames à plusieurs niveaux...

Blue fronça les sourcils.

— Des lames ? souffla-t-il. Tu veux dire que t'as piqué cette caisse aux Saignants ?

— Ouais ! fit le Jongleur, en se rengorgeant. Et au beau milieu d'un de leurs camps par-dessus le marché !

J'avais envie d'applaudir. Tout ce qui pouvait nuire aux Saignants me faisait plaisir. Sans compter que voler quelque chose à ces tarés relevait de l'exploit. Y avait pas un territoire dans la Cité mieux protégé que celui du vieux La Lame. On mourait beaucoup, chez les Saignants, mais ces fumiers se reproduisaient comme des lapins. Leurs femmes, qui ne se mêlaient jamais aux combats, étaient de véritables pondoirs qui accouchaient annuellement d'un nombre surprenant de jumeaux et de triplés. On ne savait pas exactement à quoi tenait ce phénomène. A la place de Blue, je me serais attaqué aux Saignants avant d'affronter les Néons. Liquider ce clan de surineurs me semblait nettement prioritaire. Mon passé, évidemment, me rendait partial et je pouvais difficilement soutenir cette position sans qu'un marlou vienne me balancer le cadavre de ma mère en pleine poire. On me croyait revanchard. On avait tort. De cette boucherie qui m'avait donné les cheveux blancs, je ne gardais aucun souvenir. C'était complètement gommé dans ma tête. Plus rien. Pas même de vagues cauchemars où cette nuit atroce serait revenue à la surface de ma mémoire, éclatant en grosses bulles d'effroi. C'était à se demander s'il s'était un jour passé quelque chose. Non, je constatais simplement que les Saignants étaient le clan le plus dangereux et le plus agressif de la Cité et je persistais à croire qu'ils profiteraient de notre assaut contre les Néons pour s'attaquer à notre quartier. C'était dans la logique. Et Blue aurait dû le comprendre. Lui qui n'aurait sûrement pas dédaigné une pareille occasion d'agrandir le territoire des Patineurs.

Je donnai raison au Jongleur.

Blue n'était pas de cet avis.

— Ils t'ont vu ? demanda-t-il.

Le Jongleur hésita.

— J' crois pas.

— T'es sûr ou tu crois pas ?

— Ben…

Le Jongleur semblait ennuyé.

— Alors ?

— J' dis pas qu'ils aient pas entendu le roulement de mes patins, fit le Jongleur en décroisant les bras et en posant ses mains à plat sur la table. Mais j' vois pas ce qu'on en a à foutre ! Ils se gênent pas, eux, pour nous faire savoir quand ils ont massacré quelqu'un de chez nous.

Blue grimaça.

— Ce que je veux savoir, articula-t-il en martelant chaque syllabe, c'est si les types qui gardaient cette bagnole seraient capables de te reconnaître ?

Le Jongleur haussa les épaules. Il pigeait mal la raison de cet interrogatoire et ça commençait à l'agacer.

— C'est possible, marmonna-t-il. Y en a un qui s'est couché sur le capot quand je démarrais. Il est resté accroché pendant un moment…

Il se mit à rire.

— ... Ce con filait des coups de schlass dans le pare-brise, tu parles! Faut vraiment être truffe pour s'attaquer à une blindée avec un canif!

Je ne pus m'empêcher de ricaner. Blue me jeta un regard noir.

— Enfin, termina le Jongleur, il s'est cassé la gueule dans un virage. Il est p't'être mort.

Jugeant l'exposé terminé, il fouilla dans ses poches, en retira un paquet plastique allongé et l'envoya vers Marrant.

— Tiens, Marrant, j' t'ai ramené ton tabac.

Le Marrant rafla l'objet et grommela un vague remerciement. Le silence revint dans la salle, très gênant, troublé seulement par quelques cliquetis de roulettes impatientes.

Blue poussa un soupir.

— Bien. Le Jongleur, tu ne quittes plus le territoire jusqu'à la prochaine réunion.

— Mais...

— Ça me semble clair, non? explosa Blue. Et j' t'interdis même d'aller patiner du côté des frontières!

Le Jongleur gonfla les joues, stupéfait par ce qu'il jugeait être une brimade injustifiée.

Blue se radoucit soudainement.

— J' veux t'avoir sous la main si j'ai besoin de toi, expliqua-t-il. Et on sait jamais où te trouver.

Le Jongleur, rassuré, hocha la tête.

— Ça va.

Blue se tourna vers moi.

— Tout Gris, tu restes ici. Les autres, vous pouvez partir.

Je masquai ma déception, pas particulièrement heureux du privilège. Je regardai Marrant, Bulldozer et le Jongleur s'évacuer, non sans une pointe d'envie.

*
**

La Lame, installé à califourchon sur une des poutres métalliques qui éventraient le cœur du Forum, se grattait une cicatrice de la pointe d'un poignard. Songeur, le Saignant. Perché comme un vautour, quasi immobile, il regardait une nuée de mômes qui poursuivaient en riant une gisquette dont le fessier bien arrondi avait fait claquer le cuir. Elle courait drôlement, la gosse, et les marmots avaient vite pigé que s'ils se relayaient pas pour lui mener la chasse, ils parviendraient jamais à la coincer. L'aguicheuse, pas effarouchée, s'apercevant de la nouvelle tactique de ses poursuivants, escalada un tas de gravats, balança quelques pavetons sur la frite des garçons et fonça vers un des multiples tunnels qui s'enfonçaient dans le ventre de la Cité et dont l'entrée n'avait pas été bouchée par les explosions. Tout ce petit monde agité disparut de la vue de La Lame.

D'où il se trouvait, il ne pouvait pas apercevoir la sombre masse du Mur, mais il le sentait. Pas un être dans cette Cité qui ne naissait sans la conscience innée du Mur. Il était là, comme une armure forgée à même la peau, comme une barrière dont les prolongements invisibles leur auraient comprimé l'esprit. La Lame était persuadé que si quelqu'un ou quelque chose venait de détruire le Mur, chaque habitant de la Cité le sentirait immédiatement. Ça ne pouvait pas être autrement. Cet événement, il voulait le vivre, de toutes ses forces, et ça urgeait. Les crises se rapprochaient, lui arrachant à chaque fois davantage de viande. Il regarda d'un air fatigué les ruines épouvantables qui constituaient son territoire, les immeubles effondrés, les fenêtres sans vitres comme autant d'orbites vides, les trottoirs crevés, les cratères qui avaient fait éclater les boulevards, les amas d'ordures et cette poussière noirâtre qui recouvrait tout comme un linceul de crasse.

La Lame avait, à de multiples reprises, tenté d'établir une géographie de la Cité. Pas simple. Il savait les Patineurs, avec leurs toboggans et leurs immenses esplanades, à l'est, les Bouleurs, avec leur front de métal, se tenaient au nord-est, avec pour voisins, par l'ouest, les Musuls. Les Skins, qui ne circulaient qu'en bandes importantes, et les Youves, friands d'armes à feu et de trafics en tout genre, se partageaient le sud de la Cité. Les Saignants contrôlaient le centre. Quant aux Errants, eux, ils erraient, partout, tuant et se faisant tuer, réticents à toute forme d'organisation sociale, même embryonnaire. Et entourant ce monde convulsif, le Mur et ses gardiens, les Néons. Chacun camouflant soigneusement ses positions, il était difficile d'établir une topographie plus précise des lieux. Les frontières étaient floues et sujettes à variation.

— Hé ! La Lame ! gueula une voix. Amène-toi ! Y a du suif !

La Lame se pencha et frima le Saignant qui gesticulait en bas. Il dégringola de sa poutre, souple comme un singe.

— Qu'est-ce qui se passe ?

— Les Patineurs viennent de nous tirer une blindée, fit l'autre, essoufflé.

La Lame fronça les sourcils. Ses coutures se creusèrent.

— Les Patineurs ? T'es sûr ?

— Les types l'ont vu. Ils sont excités et ils veulent organiser des représailles.

La Lame cracha sur le sol.

— Putain ! C'était pourtant pas le moment...

Blue mit son fauteuil en position allongée et ferma les yeux. J'eus un instant l'impression qu'il allait s'endormir. Il était bien capable du fait. Comme tous les combattants, il savait profiter d'un quart d'heure de répit pour récupérer. Ce que moi, Tout Gris, je n'étais jamais parvenu à faire. Sans mes huit heures d'affilée, j'avais les roulettes carrées et je patinais dans la mélasse. Blue, lui, quinze minutes suffisaient à le remettre d'aplomb.

Je me raclai la gorge, pas bonnard pour surveiller son sommeil.

— T'impatiente pas, je réfléchis, grogna Blue.

Il se dressa sur un coude.

— La Lame a demandé à venir à notre réunion.

— Quoi !

J'avais hurlé. Le bout de mon patin heurta violemment le pied de la table. La Lame, ce monstre découpeur d'enfants, à la réunion ? La chose, vraiment, je l'envisageais pas possible. Les Saignants s'étaient toujours ouvertement moqués de notre coalition occasionnelle avec les autres clans. Ils n'allaient pas, maintenant, retourner leur cuir. Sinon pour espionner et pour préparer une de ces embrouilles dont ils avaient le secret. Je fis part de mes doutes à Blue qui m'écoutait.

Il secoua la tête.

— Non, je crois que La Lame est sincère, décida-t-il. Il sait qu'on prépare le passage et il veut être dans le coup.

Je tenais plus.

— La Lame, sincère? Parole, Blue, tu régresses ! Ce vieux salaud a passé sa vie à nous chercher des crosses. Il n'a jamais cessé de monter ses hommes contre nous. T'as déjà oublié tous leurs massacres ? Oublié quand La Lame a réussi à convaincre les Youves de nous bombarder au mortier pendant plus d'une semaine ? Le jour où il a participé à l'attaque du Champ-de-Mars ? Hein, Blue ? Soixante-trois gosses assassinés ! T'as quand même pas oublié ça ?

Blue poussa un grognement.

— J'ai rien oublié du tout, mais c'est le passé. Aujourd'hui, La Lame veut passer.

Je m'emportai, la rage incontrôlable.

— Tu parles comme il veut passer ! Tout ce qu'il vise, c'est notre quartier. Le Mur, il en a jamais rien eu à foutre !

Blue s'assit sur son siège, ses roulettes effleurant le sol.

— C'est décidé, Tout Gris. La Lame participera à notre réunion et, si nous parvenons à un accord, il passera avec nous. Deux hommes de chaque clan seront présents. J'avais d'abord songé au Jongleur pour m'accompagner, mais, après ce qui vient de se passer, je dois y renoncer.

Il fit une courte pause.

— C'est toi qui viendras.

Je restai sans voix. Siéger aux côtés de La Lame, ça me dépassait l'entendement. Blue aurait dû le comprendre.

Blue tendit un index vers moi.

— Je compte sur toi, Tout Gris. Oublie tes rancœurs et ne pense plus qu'à une chose. Une seule ! Ce Mur, là-bas, que nous allons franchir.

S'il avait pu deviner combien j' m'en tapais, de son Mur ! Je ne songeais plus qu'à une chose : avec quelle arme j'allais sécher cet enfoiré de Saignant.

Car Blue ignorait une chose. Je savais que c'était La Lame lui-même qui avait tué ma mère.

*
**

Autour de l'entrée du métro, l'ambiance était chaude. Les types affûtaient leurs couteaux et les rangs des excités grossissaient de minute en minute. Devant le spectacle, La Lame estima qu'on l'avait prévenu bien tard, comme si on avait voulu le mettre en face d'un mouvement collectif qu'il ne serait plus en mesure de contrôler. Un prétexte, pourquoi pas, pour lui faire comprendre qu'il était temps qu'il passe la main.

Perché sur un rail planté dans la façade d'un immeuble, Corso, un jeune Saignant que La Lame jugeait beaucoup trop ambitieux, haranguait la foule.

— Par là, gueulait-il en désignant le tunnel du métro, on arrive directement sur une de leurs esplanades ! A cette heure-ci, leurs mômes doivent être en train de patiner...

— Ça suffit ! coupa La Lame.

Il avait dû faire un effort pour crier, pour couvrir la voix de Corso. Il sentit sa gorge se serrer devant l'imminence d'une nouvelle crise. Il se mordit violemment l'intérieur des joues, pouvant décemment pas cracher ses poumons devant ses hommes. On ne gouvernait pas avec la pitié. Le goût douceâtre du sang lui envahit la bouche. Son mal, infiniment patient, battit en retraite, lui laissant un répit.

Corso, le regard injecté, semblait pas heureux de l'interruption. La Lame, devant cette grimace haineuse, se savait déjà un successeur possible, il se découvrit un véritable ennemi. Dommage pour lui, il venait un poil trop tôt.

Le vieux Saignant, désinvolte, mit ses mains dans les poches de son blouson, effleurant du bout des doigts l'arme meurtrière qui lui avait donné son surnom, un triangle d'acier équilatéral dont les bords étaient aussi affûtés que le fil d'un rasoir.

— Expliquez-moi ce qui se passe, demanda-t-il, sans s'adresser particulièrement à Corso.

— Les Patineurs nous ont volé une blindée ! hurla Corso, attisant encore la colère des Saignants.

— Les Patineurs ? Combien étaient-ils ?

La question désorienta Corso qui marqua un temps d'hésitation.

— J' sais pas, moi, grogna-t-il. C'est Rubis qui les a vus.

La Lame se détourna et fit face à ses hommes.

— Rubis ? Où il est Rubis ?

Les premiers rangs s'écartèrent, laissant passer un Saignant dont tout le côté droit du cuir était arraché. Son épaule et sa hanche étaient à vif. Il portait un pansement rudimentaire à la main dont les doigts semblaient très enflés et prenaient une curieuse teinte violacée.

La Lame s'approcha et regarda attentivement la blessure.

— Qu'est-ce qui t'est arrivé, Rubis ?

Rubis était un timide. La querelle au sommet qui s'amorçait entre La Lame et Corso, il aurait bien voulu s'en tenir à l'écart. La position d'arbitre lui bottait pas beaucoup.

— Quand j'ai vu la bagnole démarrer, expliqua-t-il à mi-voix, j'ai foncé et j' me suis jeté sur le capot. J' suis resté accroché un moment mais dans un virage ce fumier m'a largué.

— Ce fumier ? s'étonna La Lame. Tu veux dire qu'il était seul ?

Rubis hocha la tête.

— Oui. Et il se marrait de l'autre côté du pare-brise ! J' risque pas d'oublier sa tronche.

— Qu'est-ce que ça change ? gueula Corso, derrière. Il pouvait bien être seul, ou dix, ou cent, c'est du pareil au même. Ils ont besoin d'une leçon.

La Lame, sans se retourner, regardant l'ombre de son ennemi perché s'allonger sur le bitume, prononça d'une voix claire :

— J' t'ai pas donné la parole, Corso.

Instinctivement, les premiers rangs de Saignants s'arc-boutèrent pour reculer d'un pas. Il y eut un moment de silence atterré. La Lame devina plus qu'il ne vit l'ombre du poignard prolonger la silhouette de Corso. La Lame resta le dos tourné. Il regardait Rubis qui écarquillait les yeux. Il savait, le vieux Saignant, que Corso ne pouvait pas le poignarder par-derrière. C'était une question de bon sens. Un acte déloyal aurait irrémédiablement compromis son avenir de chef du clan. C'était pourtant pas l'envie qui lui en manquait, à Corso, de piquer le vieux chef, là, juste entre les omoplates.

— La Lame, grogna-t-il. Retourne-toi.

La Lame s'exécuta. D'un geste souple du poignet, il balança son triangle. La plaque assassine trancha dans le cou de Corso et une pointe se ficha dans une de ses vertèbres cervicales. Un jet de sang clair éclaboussa les bottes pointues de La Lame qui tenait déjà un second triangle entre le pouce et l'index, le geste du lancer à peine esquissé. Corso, dont les yeux roulaient comme des billes, lâcha son poignard et porta les mains vers son cou mutilé. Il plaqua les paumes sur sa blessure mais l'hémorragie dégoulinait entre ses doigts, inexorable. Affolé, il perdit l'équilibre, battit l'air de ses bras et tomba lourdement sur le sol, soulevant un nuage de poussière noire.

La Lame remit le deuxième triangle à sa place, se pencha, prit le poignard de Corso dont il appuya la pointe sur le bitume. Il la brisa et jeta les deux morceaux sur le corps agonisant du jeune Saignant.

Il se releva et revint près de Rubis. Il désigna l'épaule déchirée de l'index.

— Il faut faire soigner ça, Rubis.

Rubis, impressionné et flatté à la fois de l'attention que lui portait La Lame, secoua la tête.

— Et... pour la voiture ? balbutia-t-il.

Les hommes s'approchèrent pour entendre la réponse de celui qui restait leur chef.

— Blue nous la rapportera lui-même, déclara La Lame. Avec celui qui nous l'a prise.

Il se tourna vers ses hommes.

— Messieurs, nous avons quelque chose de plus important à préparer qu'une nouvelle guérilla avec les Patineurs. Je veux que vous commenciez un entraînement au combat rapproché dès cette nuit. Dans quelques jours, nous passerons !

Une rumeur sourde parcourut les rangs, puis les premiers cris d'enthousiasme éclatèrent. La Lame, souriant, prit Rubis par son bras valide et l'entraîna plus loin, fendant la foule qui s'écarta en scandant des hourras frénétiques.

La poussière noire recouvrait déjà le cadavre de Corso.

CHAPITRE IV

Assis sur la rambarde, les patins dans le vide, surplombant l'esplanade du Trocade, je frimais, rêveur, la livraison hebdomadaire de barbaque. J'étais encadré de Starlette, qu'avait enfin fini de se brosser la crinière, et d'Hajine, la nouvelle compagne de Blue. Mal à l'aise entre ces deux égéries qui pouvaient visiblement pas se piffer. Starlette était une reine sur le retour et Hajine conservait l'arrogance d'une princesse arriviste, assidue de la cour, gardant malgré sa promotion la fâcheuse manie du coup de pied de l'âne. Physiquement, elles avaient cinq ou six ans de différence. J'aurais filé un siècle de plus à Starlette.

Les Krishies étaient arrivés en file indienne, leur longue robe orange traînant sur le sol, un demi-mouton chacun sur l'épaule, et psalmodiant toujours leurs interminables cantiques. Ils déposaient la viande au milieu de l'esplanade, en un tas sanguinolent, sous l'œil ravi des gosses qui, malgré l'interdiction de Blue, leur balançaient de temps en temps des roulements à billes sur la frite. Lorsque les mômes devenaient trop entreprenants, je portais le sifflet à ma bouche et je stridais trois quatre coups à percer les tympans. A chaque fois, Hajine ponctuait ma mise en garde musicale d'un commentaire rageur.

— Ces Krishies, c'est vraiment tous des merdes !

Elle terminait en crachant vers le ciel un glaviot de vieillard naze. Je dois avouer que les molards d'Hajine m'impressionnaient. Elle devait se les préparer longtemps à l'avance. Je la surveillais du coin de l'œil, cherchant à deviner dans les mouvements de ses maxillaires le signe d'une accumulation de salive. Rien à faire. Elle restait de marbre. Elle pompait, probable, de l'intérieur. Le glaviot compact et coloré, je parvenais pas à le croire spontané. A moins d'un don... Elle m'impressionnait salement. J'en étais arrivé au point où je me demandais si ce n'était pas cette faculté mystérieuse qui avait attiré Blue, lui qui, tout comme moi, ne savait que postillonner.

— Sans eux on aurait pas de viande, rétorqua Starlette, qui, voulant pas se couvrir de ridicule, s'abstint de cracher en guise de point d'exclamation.

Je sentis venir le suif. Sachant pas vraiment de quelle façon interrompre cette discussion qui risquait de virer à l'aigre, je sifflai un grand coup. Les mômes, qu'avaient pas bougé une oreille, me regardèrent, surpris. Du coup, écœurés, ils quittèrent leur place et poussèrent plus loin la roulette, ailleurs, là où un vieux con dans mon genre viendrait pas leur couper l'élan lorsqu'ils se foutraient sur la gueule.

Les Krishies, de toute façon, les amusaient plus beaucoup. Cette façon de se faire briser les tibias et d'encaisser les roulements sans jamais cesser de chanter, c'était à gerber. A demi morts, ils chantaient encore, du ravissement plein les châsses, avec d'autant plus de ferveur qu'ils souffraient. Tu parles d'une rigolade! Passé l'étonnement premier, quand tu t'apercevais qu'ils étaient tous fondus dans le même moule, se laissant descendre avec l'impassibilité d'une quille de bowling, tu laissais tomber. Une vraie rixe entre combattants était autrement plus drôle que ce jeu de massacre.

Le dernier de ces crétins déposa sa part de viande au sommet du tas et rejoignit ses compagnons qui, piétinant sur place, en ordre, attendaient que tout le monde ait terminé pour repartir. Le cortège, au complet, repartit vers son territoire. Les ordres de Blue avaient porté leurs fruits, faut croire, puisque, cette fois, pas un Krishie ne resta sur le carreau. A moins, peut-être, que les mômes, roublards, n'aient décidé de leur tendre une embuscade à proximité des frontières... Ça n'était plus de mon ressort.

Je quittai mon poste d'observation et fis signe aux Patineurs d'aller mettre cette viande dans les abris, là où la poussière se faisait moins dense. Au début de la coalition, après les accords passés avec les Krishies, on laissait la bouffe là où ces idiots la déposaient. Les Patineurs se servaient au fur et à mesure de leurs besoins, la manie d'engranger n'ayant plus cours. Tout le monde avait dû se rendre à l'évidence, la bidoche, à l'air de la Cité, prenait un goût dégueulasse, tout à fait identique à celui qu'on respirait lorsqu'on patinait sans masque. Gastronomie oblige, le clan avait aménagé quelques caves pour entreposer la bouffe. Preuve, finalement, que les Patineurs étaient capables de s'organiser pour autre chose que la baston.

Starlette, qui savait ma passion pour la viande pas faisandée, décarra s'en tailler un gigot, me laissant seul avec Hajine. Sa présence à mes côtés, sans Starlette pour servir de repoussoir, m'indisposait. Je ne cherchais même pas à comprendre pour quelles mystérieuses raisons elle me faisait cet effet-là. J'avais l'impression, stupide sans doute, qu'Hajine me faisait du plat, qu'elle supportait difficilement l'idée que je partage ma vie avec Starlette. Mais vraiment, approfondir la question ne me tentait pas.

Je me levai et m'éloignai d'une poussée que j'aurais voulu plus élégante. Vive comme un vairon, Hajine me rejoignit et se mit à patiner à mon rythme. Je trouvai le diapason indécent.

— Où vas-tu ? demanda-t-elle.

— Faire un tour.

Le ton nettement inamical que j'avais employé ne sembla pas l'émouvoir. Elle se calquait, étrangement docile, sur mon pas.

J'imaginais volontiers que Blue, à la vue de ce spectacle, aurait été en droit de se poser des questions.

— J' peux t'accompagner ?

Je m'arrêtai, laissant sur le bitume une trace sinueuse de gomme.

— Non, tu ne peux pas.

Elle m'observa un moment, silencieuse, puis, toujours sans prononcer le moindre mot, elle fit demi-tour et s'éloigna, gracieuse, vers les abris à viande.

Je ne savais plus si j'étais satisfait ou déçu.

L'Errant était dans un immeuble qui se dressait à proximité de la frontière qui séparait les territoires des Patineurs et des Bouleurs. Il avait passé plusieurs mois, circulant la plupart du temps en début d'après-midi, à l'heure où la Cité se reposait des convulsions nocturnes, pour découvrir cet endroit stratégique. Il avait longuement étudié les livraisons des Krishies et avait finalement choisi le moment où son attaque serait la plus efficace. Il avait d'abord failli renoncer à son projet lorsqu'il s'était rendu compte de la protection renforcée qu'exerçaient les Patineurs pour assurer le bon acheminement de la nourriture. Il n'avait pas l'ombre d'une chance de descendre plus de deux ou trois de ces éleveurs de moutons avant que la garde des Patineurs ne lui tombe dessus. En revanche, et il en éprouva un immense soulagement, les

Bouleurs n'offraient pas de semblables garanties. Ils se moquaient éperdument de la sécurité des Krishies.

Les livraisons des deux clans s'effectuant dans la même journée, l'Errant décida d'intervenir au moment où les Krishies repartaient avec leur bidoche sur le dos en direction du quartier des Bouleurs. Qu'est-ce qu'ils s'imaginaient, tous ces hérétiques de l'ordre social ? Que les Errants étaient des dingues qui s'amusaient à déquiller leurs hordes de mômes au hasard des rencontres ? Il leur faudrait bientôt déchanter. Jamais les Errants ne laisseraient aux clans de la Cité une seule possibilité de s'organiser. Entretenir le trouble, la zizanie, le désordre, tel était le but. Les empêcher, surtout, de recommencer, eux qui ne savaient rien de l'Histoire.

En privant les Bouleurs de viande fraîche, l'Errant provoquait un déséquilibre qui, avec un peu de chance, dégénérerait en une nouvelle guérilla. Et dans cette lutte perpétuelle contre la résurrection des vieux cadavres, il fallait redoubler de vigilance. Le bruit, persistant, circulait que les affrontements entre clans se raréfiaient, que les concentrations de combattants aux frontières étaient devenues moins systématiques, que, suprême folie à laquelle il était difficile de croire, les représentants de chaque quartier en étaient venus à se rencontrer, à conclure des accords.

Même si tout cela semblait exagéré, c'était mauvais signe. L'Errant, pourtant sceptique à ces rumeurs, avait dû se rendre à l'évidence. Il y avait des symptômes d'organisation, irréfutables. Le nombre de cadavres que chaque nouvelle journée révélait avait nettement diminué, les Krishies eux-mêmes n'étaient plus agressés et, le pire qu'il avait observé de ses propres yeux, une troupe fort nombreuse et bruyante de Skins en bordée avait proprement ignoré une demi-douzaine de Youves qui ne se tenaient, pourtant, qu'à une vingtaine de mètres d'eux. L'Errant, qui se pourléchait déjà les babines à l'idée du petit massacre qui allait forcément suivre, en resta sur son cul. Les Skins avaient poursuivi leur chemin, proférant leurs habituelles grossièretés, accentuant encore l'insoutenable vulgarité dans laquelle ils se vautraient, mais sans se soucier le moins du monde d'une proie à l'évidence facile. L'Errant, sidéré, n'eut même pas le réflexe d'aligner deux trois Skins pour les rappeler au désordre. Il était resté là, son fusil à laser posé sur ses genoux, regardant les Skins disparaître, se demandant s'il avait réellement vu ce qui venait de se passer. Aussitôt, la monstrueuse pensée qu'ils avaient conclu un accord de paix lui était venue à l'esprit. Après réflexion, il avait repoussé cette éventualité. Il ne pouvait s'agir que d'un cas isolé, d'une de ces bizarreries idiotes dont les Skins avaient le secret.

Le fait de voir les Krishies livrer paisiblement leur viande l'inquiéta davantage. Ça, c'était forcément un accord tacite. Pour que les gosses, quel que soit le clan auquel ils appartiennent, ne s'amusent plus à descendre ces loques, il fallait que leurs aînés leur en aient donné l'ordre. L'Organisation, l'Etat, l'Ordre, ils étaient déjà là, embryonnaires peut-être, mais aussi dangereux et sombres qu'une tumeur maligne enfouie sous les tissus. L'Errant décida d'intervenir. Le mal devait être combattu sans délai. Sous peine de voir un jour ces crétins, pourquoi pas, rebâtir les immeubles et nettoyer les rues.

Il repoussa l'armature métallique du vasistas et grimpa, péniblement, sur le toit. La terrasse de l'immeuble était crevée par endroits, laissant apparaître l'infrastructure métallique, poutres et câbles mêlés, comme des os et des ligaments lavés de leur enveloppe de chair. Il s'avança vers le bord et jeta un coup d'œil sur le boulevard dont le juste milieu était crevassé comme sous l'effet d'un tremblement de terre. Une faille en zigzag dont les rives, déchiquetées comme du papier, atteignaient près d'un mètre d'écartement.

Les premiers Krishies apparaissaient déjà, en rangs musicaux, à l'autre bout de l'avenue. Plus tôt que prévu. L'Errant grimaça. A chaque semaine ils livraient plus rapidement, rencontrant donc de moins en moins d'ennuis, d'embûches, de traquenards. Tout cela devait cesser !

Il emboîta le viseur laser sur son fusil, détacha les grenades qu'il portait liées autour de sa taille et les disposa soigneusement à côté de lui, chacune à portée de main. Il vérifia le chargement de son arme, des balles à pulvériser un mammouth, et se mit à attendre que les Krishies arrivent juste en dessous de lui. Connaissant leur mentalité de coqs fous, ces volatiles sauvages qui n'avaient jamais compris que l'homme était un prédateur, il savait qu'il aurait largement le temps de s'amuser un peu avant de commencer à balancer ses œufs.

Inconsciemment, je m'éloignais du centre du quartier. Je supportais de moins en moins la perspective de me retrouver en face de Starlette, avec son maudit furoncle qui lui dégoulinait sur la joue, même avec un gigot bien frais entre nous. Je n'avais pas faim. Il me semblait même que je n'aurais plus jamais faim de ma vie. Ce qui me serrait l'estomac ? La trouille, oui, sûrement. Mais pas celle de passer ! Je n'étais pas pervers au point de ne pas rêver, jour après jour, au moment précis où j'allais enfin franchir le Mur. Dans ce projet, je faisais corps avec Blue. Chaque minute nouvelle m'apportait son quota d'enthousiasme, de fanatisme et de volonté de vaincre la malédiction de la Cité. Seulement, j'avais autre chose à accomplir avant de livrer, ce qui me semblait être, ma dernière bataille. Et c'était cette chose qui me flanquait les jetons. Tuer le vieux La Lame au beau milieu de la réunion si orgueilleusement organisée par Blue. Ce que je n'admettais pas, ce qui me mettait le cœur au bord des lèvres, c'était que Blue ne me pardonnerait jamais mon geste. J'allais donc mourir avant de passer. Je ne pouvais décemment pas avoir envie de becter.

Le visage tout fripé de Champagne, la Mère collective, une de celles qui s'occupaient des orphelins du clan, et ils étaient légion, dansa dans ma tête. Je la revoyais parfaitement, me souvenant de chaque mot, de chaque pause qu'elle s'était accordée au cours de son récit, je la revoyais ce soir-là lorsqu'elle m'avait révélé de quelle façon La Lame avait abusé de ma mère et l'avait ensuite torturée avant de l'achever au milieu des rires de ses hommes. Je les entendais, ces rires ! J'étais présent, mais je ne me souvenais pas. Seuls mes cheveux s'en rappelaient. Alors, au fur et à mesure que Champagne me racontait, je reconstituais la scène dans ma mémoire, je collais des images, redonnais de la clarté à ces heures obscures. J'aiguisais ma haine. Champagne se rendait-elle vraiment compte de ce qu'elle était en train de faire ? Je l'ignorais. Sa description était terrible, mécanique, sans l'ombre d'un frémissement ou d'un emportement dans le ton. Depuis, Champagne était morte, le corps rempli de poussière. Mais elle avait semé une graine. Une petite graine qui germait sous mon crâne. Elle germait comme une plante qui pousse sous un mauvais climat, patiente et résignée. Je n'avais jamais imaginé avoir un jour l'occasion de tuer La Lame. Et voilà que Blue me l'offrait...

J'avais envie d'en chialer.

Je me répétais, sans relâche, jusqu'à en bégayer intérieurement, que Blue était un utopique, un doux rêveur, qu'il ne parviendrait jamais à un accord avec les Saignants, je savais que s'il y avait une chance, une seule, pour que nous parvenions à passer un jour, c'était maintenant qu'il fallait la saisir. Jamais, depuis l'existence de la Cité, un clan n'avait eu autant d'atouts pour réussir. Et j'allais tout gâcher. Ruiner tous les espoirs, rejeter le clan dans une ère de guérillas sanglantes. Moi, Tout Gris, et tout seul...

Sans m'en rendre vraiment compte, j'avais poussé la roulette jusqu'aux limites du quartier, aux abords du Mur. Seule la grise ligne des blockhaus, alignés comme des verrues écorchées au compas, me séparait encore des Néons et des premières rangées de barbelés. Je m'approchai, progressant sur la pointe des freins, et me glissai par une ouverture. Le blockhaus puait la charogne et la meurtrière percée du côté du Mur était à demi ensevelie sous les gravats. Je patientai un moment, laissant à mes yeux le temps de s'accoutumer à l'obscurité.

— Planque-toi, connard !

Je faillis hurler de terreur. Une main m'agrippa et me força à m'agenouiller.

— C'est toi, Blue ? soufflai-je.

La mèche bleue me frôla le visage.

La preuve qu'ils se sentaient protégés, ces pommes ! Ils chantaient plus fort. L'Errant se souvenait d'un temps où ils circulaient en murmurant leurs cantiques à la noix. Pas en gueulant ! Maintenant, ils s'annonçaient, carrément. Une vraie petite fanfare. Manquaient plus que les tambours et les clochettes.

L'Errant, d'un geste nerveux, arma son fusil. Le point rouge du laser apparut sur le front du Krishie de tête. Il tira. Visa le suivant et tira encore. Les crânes explosaient comme des pastèques gorgées d'eau. Il y eut un bref moment de flottement dans les rangs des Krishies, quelques regards, sans cet affolement pourtant si jouissif, fouillèrent les toits environnants, puis, courbant davantage l'échine, ils reprirent leur marche, enjambant les corps décapités de leurs camarades. L'Errant en tua encore trois avant de reposer son fusil, dégoûté. Qu'est-ce qu'ils avaient dans les veines, ces types-là ? Il empoigna la première grenade, la dégoupilla et la balança dans le vide. Il ne devait pas, sur ce boulevard, rester un seul morceau de viande consommable. Très rapidement, il ne vit plus rien de ce qui se passait en bas. Un épais nuage de poussière noire montait en lourds tourbillons vers lui. Il ne distinguait plus que les éclairs des explosions et les déflagrations que l'écho portait loin dans la Cité. Il y a bien longtemps que le fracas de la guerre n'inquiétait plus personne. Malgré tout, ce rideau de crasse faciliterait sa fuite en cas d'arrivée de combattants.

Il balança son dernier œuf et se releva, son fusil à la main.Il épousseta d'un geste négligent les genoux de son futal bleu marine, piocha une pincée de tabac dans sa poche et commença à se rouler une sèche. Après la première bouffée, il se mit à tousser. Il patienta encore un moment, tendant l'oreille à l'écoute, peut-être, d'un éventuel survivant qui se remettrait à chanter. Seules les ondes de choc faisaient encore vibrer ses tympans. Satisfait, il démonta le viseur laser de son arme et accrocha le boîtier à sa ceinture. Il contourna soigneusement les plaies béantes de la terrasse et se glissa dans l'immeuble par le vasistas.

Le Bouleur lui laissa à peine le temps de toucher le plancher. Il le ceintura et l'obligea d'une torsion brutale à lâcher son fusil. Il le retourna et le plaqua contre le mur. L'Errant se mit à trembler comme un chiot apeuré. Tout près de son visage, lui soufflant son haleine fétide dans les narines, la face grotesque et plate du Bouleur, sa plaque d'acier scellée dans le front. Ils étaient si près l'un de l'autre que leurs lèvres se touchaient presque.

— Alors, Errant ? ricana le Bouleur. On s'amuse ?

L'Errant tenta de se dérober, détourna la tête. Le Bouleur lui planta ses ongles crasseux dans la joue et le força à se tenir droit. Il ne disait plus rien, se contentait de fixer l'Errant de ses petits yeux gélatineux entourés de kystes provoqués par l'implant métallique, comme s'il cherchait à deviner, à comprendre.

— J' me demande c' que vous avez dans la tronche, murmura le Bouleur.

Sans attendre de réponse, il fit un pas en arrière et fila un coup de boule magistral à l'Errant. Percuté par l'acier, coincé par le mur, le crâne de l'Errant éclata. Ses oreilles, ses narines et ses yeux se mirent à saigner. Le Bouleur le lâcha et il glissa lentement le long de la paroi, laissant une quadruple traînée sombre.

CHAPITRE V

J'éprouvais les pires difficultés pour retrouver mon calme et une respiration régulière, le palpitant nettement récalcitrant à reprendre un rythme normal après la cabriole que je venais de lui faire faire pour la peau. Seigneur ! C'était donc comme ça qu'on était marron, qu'on se faisait percer, stupidement, en pensant à autre chose. J'imaginais mon sort si, dans ce blockhaus, à la place de Blue, j'avais trouvé trois quatre Saignants en train de bouffer de la colle. Je devais me ressaisir. Je me comportais exactement comme un môme qui pousse sa première roulette hors des abris.

Je rampai jusqu'à la meurtrière et m'assis, ramenant mes genoux contre ma poitrine. Blue était tout près de moi.

— Alors ? souffla-t-il. Toi aussi t'as eu besoin de le voir ?

Je suppose qu'il voulait parler du Mur. J'acquiesçai, alors que j'ignorais parfaitement ce qui m'avait amené jusqu'ici. En fait, je crois même que je n'avais aucune envie de le regarder, ce maudit rideau de béton. Je le sentais dans toutes les fibres de mon corps, suffoquant comme un plongeur retenu sous l'eau par son scaphandre.

J'entendis la démarche un peu pataude de quelques Néons qui effectuaient leur ronde entre les rangées de barbelés.

— T'as remarqué ? poursuivit Blue. Ces types-là ne parlent jamais. Ils n'émettent aucune sorte de son, même lorsqu'ils se battent.

Maintenant que Blue m'en parlait, ce détail me frappa. Les Néons étaient complètement muets, pire, ils étaient silencieux. Par contre, ils savaient écrire. Leurs slogans en larges lettres fluorescentes tracées sur le Mur l'attestaient.

SOYEZ VIGILANTS

Ce mot d'ordre, ils risquaient pas de l'oublier. Ils se répétaient tous les trente mètres tout autour de la Cité. Mais comment faisaient-ils pour communiquer ? Pour se regrouper si vite en cas d'attaque ? Quelque chose ou quelqu'un devait les avertir...

Je fis part de mes réflexions à Blue qui hocha doucement la tête.

— Je crois qu'ils sont télépathes, murmura-t-il.

J'écarquillai les yeux.

— Quoi ?

— Un jour, expliqua Blue, j'ai volontairement attiré l'attention d'un Néon. Il était seul, absolument seul. Il m'a regardé et, à peine dix secondes plus tard, y en avait une vingtaine qui rappliquaient en courant, leurs lances braquées dans ma direction. J'ai juste eu le temps de me tirer. Comment avaient-ils su que j'étais là ? Exactement là !

J'essayai de comprendre, mais je dois dire que cette révélation me dépassait un peu. Il y avait combien de temps que Blue savait ça ? Je songeai à tous les combattants qui avaient cru pouvoir s'attaquer impunément à un Néon isolé, ignorant qu'ils affronteraient la caste des gardiens dans sa totalité, chacun étant aussitôt averti de l'agression.

— C'est donc ça qui fait leur force...

— Oui, soupira Blue. Mais il y a autre chose.

Je restai attentif. Blue semblait en veine de confidences. J'appréhendais, malgré tout, ce qu'il allait me sortir.

— Nous ne sommes pas sur la même longueur d'ondes qu'eux, lâcha Bluc.

Je gonflai les joues.

— J' pige pas.

— Si nous étions sur la même longueur d'ondes, ceux-là sauraient que nous sommes planqués dans ce blockhaus. Ils nous sentiraient. Ils liraient nos émotions. Tu vois, Tout Gris, l'idéal pour passer, ça serait de pouvoir perturber le système de communication des Néons. Les brouiller. Ils ne sauraient plus où aller ni qui combattre. Ils seraient aussi faciles à déquiller qu'une taupe larguée en plein soleil.

Il fit une courte pause.

— Ouais... J' suis sûr que c'est là leur point faible, ce fil invisible qui les relie et qu'il nous suffirait de couper pour les rendre aussi inoffensifs que les Krishies.

J'écoutais Blue, fasciné par son discours. Je comprenais combien il avait planché sur son projet et combien ça lui tenait à cœur. Inlassablement, jour et nuit, il devait y penser. Blue, à mes yeux, devenait autre chose que le chef des Patineurs. Il était l'âme de la Cité, son espoir de liberté.

La nausée me reprit à la gorge. Je maudis Champagne et l'histoire qu'elle m'avait racontée. Mon histoire.

— Remarque, continua Blue. P't'être que je me goure et qu'ils savent très bien qu'on est là.

Je frissonnai.

Elle patina longtemps avant d'être absolument certaine que plus un seul Patineur ne se trouvait dans les parages. A cette heure, qu'elle avait fixée elle-même, juste après l'arrivage de viande fraîche, la périphérie du quartier était quasiment déserte. Les mômes, les adultes, femmes ou combattants, étaient réunis pour la croque, se préparant à la longue nuit de la grande bouffe. Fiesta de ripailles hebdomadaire.

Souple, le patin feutré, elle quitta le circuit principal du territoire et s'enfonça dans les artères, plus étroites, qui formaient le no man's land entre les Patineurs et les Bouleurs. Ici, la chaussée avait été systématiquement et régulièrement défoncée, hérissée d'obstacles en tout genre, par les Bouleurs, dans le but de nuire à une éventuelle progression des Patineurs. Tous les autres clans procédaient de la sorte. La force des Patineurs résidant pour une bonne part dans leur rapidité de déplacement, tout était bon pour les ralentir, pour les empêcher de rouler.

Elle progressa plus lentement, contournant les crevasses et évitant les gravats éparpillés sur toute la largeur de la rue.

Parvenue au milieu de l'artère, elle jeta un dernier coup d'œil derrière elle, s'assurant que personne ne la suivait, et s'engouffra dans un immeuble curieusement incliné vers l'arrière et dont le rez-de-chaussée avait dû abriter un vaste hall d'accueil. Curieusement, une des immenses vitres disposées en façade était restée intacte, les mômes se contentant d'y tracer de l'index, sillonnant la poussière grasse, quelques commentaires obscènes. Ce carreau rescapé était troublant, incongru, et, avec les années, il était devenu presque sacré. Plus personne ne songeait à l'abattre.

Elle traversa le hall, soulevant à chaque pas de petits geysers de crasse, et s'arrêta devant la carcasse métallique d'un escalier roulant. Elle regarda autour d'elle, hésitante.

— Je suis en haut, souffla une voix. Monte !

Elle sursauta et porta une main vers sa poitrine. Elle vit, au premier étage, la silhouette de Kajum qui l'attendait. Elle grimpa l'escalier, enjambant soigneusement les béances de l'acier, prenant appui sur la rampe de caoutchouc lacérée.

Kajum tendit la main et l'aida à franchir les dernières marches. Ils se regardèrent, un long moment, puis elle se précipita dans ses bras. Elle se frotta le visage contre son torse luisant de sueur. Elle l'embrassa, le lécha, se goinfra frénétiquement de son odeur. Il lui caressait les cheveux, se laissant goûter sans rien dire. Enfin, après quelques minutes, il la repoussa doucement.

— Tu as eu du mal à venir ? demanda-t-il.

Elle secoua la tête, négativement, déjà ivre de plaisir. Elle voulut se recoller contre lui, mais il la retint, fermement.

— Alors ?

Elle poussa un soupir.

— Tu n'as pas l'air heureux de me voir, gémit-elle.

— Je suis heureux, mais il n'y a pas que ça.

Le ton était dur, dominateur.

— Il va y avoir une nouvelle réunion, se décida-t-elle. Blue veut passer. Il va demander aux autres clans de l'aider.

Un lueur féroce passa dans le regard sombre de Kajum.

— Quels clans ?

— Ceux qui viennent d'habitude, répondit-elle en haussant les épaules. Les Youves, les Bouleurs et les Skins. Ils espionnent les Néons depuis plusieurs mois.

— Et comment comptent-ils opérer ?

— Je ne sais pas.

Elle regretta instantanément sa réponse et ajouta :

— Comme vous, je suppose. En attaquant en force un point précis du Mur.

Le Musul Kajum se mit à ricaner.

— Les imbéciles...

Il se reprit très vite.

— J'ai besoin de savoir le jour exact où ils vont tenter le coup.

Elle ouvrit la bouche, incrédule.

— Mais... comment...

— Je serai là tous les jours à partir de maintenant. Le matin, c'est plus sûr. Dès que tu connaîtras la date exacte, viens me prévenir.

Elle hocha la tête. Elle ne voulait même pas savoir pour quelle raison Kajum désirait tous ces renseignements. Elle ne voulait qu'une chose. Une seule.

Et Kajum, le Musul, la lui accorda en l'allongeant sur le ciment.

Blue patinait au ralenti, les mains réunies derrière son dos. Je poussais la roulette à ses côtés, respectant sa lenteur voulue. Nous arrivions en bordure du circuit périphérique. Blue s'arrêta.

— A ton avis, Tout Gris, qu'est-ce qu'on va trouver derrière ce foutu Mur ?

La question me surprit. C'était le genre de choses dont on ne parlait quasiment jamais. Chacun dans ses rêves éveillés bâtissait le meilleur des mondes possibles et l'imaginait derrière le Mur. Les suppositions s'arrêtaient là. Une chose était certaine. Derrière, ça ne pouvait pas être pire qu'ici. Et surtout, Seigneur ! L'Espace ! Respirer enfin un air sans cette maudite poussière noire qui vous remplissait le corps jusqu'à vous faire éclater, du jus de ténèbres vous dégoulinant de tous les orifices. Un monde où, peut-être, nous pourrions enfin apprendre à vivre avant de savoir tuer. Non, vraiment ça ne pouvait pas être pire. Les Néons, nous en étions tous convaincus, veillaient jalousement sur un trésor.

Blue restait immobile, le regard flou.

— Bon Dieu ! soupira-t-il. J'ai passé des jours et des jours à écouter, allongé dans ce blockhaus. J'épiais le moindre bruit qui pourrait me parvenir de derrière. La plus petite indication qui pourrait me faire comprendre ce que les Néons gardent si bien.

Il me regarda.

— Bordel, Tout Gris, j'ai jamais rien entendu ! Jamais...

Il se remit à patiner, plus rapidement cette fois. J'éprouvai quelques difficultés à le suivre. Blue était le meilleur Patineur que le clan ait jamais connu. J'étais en train de me faire décrocher quand Blue ralentit de nouveau.

— Il va falloir que je t'apprenne à fouiller un homme, déclara-t-il.

Je manquai me casser la gueule.

— Avec le Jongleur, continua-t-il, il n'y aurait pas eu de problèmes. Il laissait pas passer un quart de lame de rasoir. Mais toi... Les types s'amèneraient avec un bazooka que t'y verrais que du feu. Je vais t'apprendre dès cette nuit.

— Mais, pour quoi faire ?

Blue s'arrêta encore, me regardant droit dans les yeux.

— Tu vas devoir fouiller tous les chefs de clans qui vont assister à la réunion. C'est la règle. Moi-même, je serai fouillé par leurs hommes, autant de fois et aussi minutieusement qu'ils le désireront.

Je pensai comme un fou au vieux La Lame. J'allais l'avoir devant moi, probablement désarmé. J'allais le toucher, le palper... Bon sang ! C'était trop beau pour être vrai. Trop facile.

— Et moi ? je demandai.

— Quoi, toi ?

— Ils vont me fouiller aussi ?

Blue se mit à sourire, mystérieusement.

— Evidemment.

Evidemment... Il me restait plus qu'à trouver comment tuer La Lame sans arme. A poings nus, j'avais pas l'ombre d'une chance. Il fallait que j'invente un truc inédit, que leurs fouilles ne parviendraient pas à découvrir. J'avais encore quelques dizaines d'heures pour ça. C'était beaucoup et peu à la fois.

Je n'aimai pas du tout la façon dont Blue me regardait. J'avais la pénible impression qu'il devinait mes pensées. Troublé, je poussai la roulette un peu plus loin.

Blue me dépassa et ne s'occupa plus de moi.

Elle ouvrit les yeux, commençant seulement à ressentir la morsure douloureuse de son dos meurtri, brûlé par le ciment. A quelques pas, Kajum terminait d'enfiler ses frusques. Elle s'accouda, soulageant ses endosses, et le regarda. Elle ne regrettait rien, ni son clan, qu'elle trahissait, ni les risques qu'elle prenait. L'idée de ce que les Patineurs auraient pu faire s'ils apprenaient la chose ne lui effleurait même pas l'esprit. Et elle se moquait éperdument des projets des Musuls, sûrement pas amicaux à l'égard des territoires adverses. Seul Kajum comptait. Kajum et ses interminables étreintes, Kajum et son corps de félin, Kajum et sa peau qui sentait autre chose que la poussière.

Il s'approcha d'elle.

— Tu n'as pas oublié ?

Elle secoua la tête.

— Non, non...

— Il faut que tu partes, maintenant. C'est la nuit de la bouffe chez toi et on pourrait s'étonner de ton absence.

Il l'aida à se relever. Elle se laissa aller contre lui.

— Kajum..., souffla-t-elle.

— Quoi ?

Elle se mit à rire.

— Rien. J'avais envie de prononcer ton nom, simplement.

Il fronça les sourcils et lui donna une tape amicale sur la joue.

— Hey, p'tite sœur ! N'en rêve tout de même pas trop ! Tu pourrais te mettre à parler la nuit.

Elle riait encore, heureuse de le sentir près d'elle et malheureuse de devoir le quitter. Elle ne redoutait qu'une chose : qu'un jour, Kajum n'ait plus besoin de renseignements. Elle n'osait pas lui poser la question. Viendrait-il encore ? Pour elle, et seulement pour elle ? Traverserait-il encore, sombre comme la muraille, au petit jour, le quartier des Bouleurs pour venir la rejoindre et l'aimer ? Elle ne savait pas, mais elle y croyait. Elle se cramponnait à son rêve.

— Allez ! décida Kajum en la repoussant. Va-t'en.

Elle faillit demander un dernier baiser, mais elle renonça, sachant que Kajum n'apprécierait pas. Elle redescendit l'escalier à regret. Sur la dernière marche, elle se retourna, esquissa un signe d'adieu et laissa tomber son bras. Kajum avait disparu. Reparti vers les siens, là-bas, si loin...

Elle s'arrêta près de la vitrine intacte et jeta un coup d'œil prudent au-dehors. La rue était toujours déserte. Tout le monde se méfiait de ces zones intermédiaires. Elles avaient souvent été, dans le passé, le siège de combats féroces.

Elle sortit du grand hall, et parcourut l'avenue en sens inverse. Dans sa précipitation, elle buta contre une plaque de métal recouverte de poussière. Elle évita de justesse la chute. Grimaçante, elle se massa la cheville. Seigneur, c'était vraiment pas le moment ! Elle se redressa et reprit son chemin, plus lentement, appuyant le moins possible sur son articulation douloureuse.

Elle arriva à quelques dizaines de mètres du circuit périphérique des Patineurs quand elle crut que le sol se dérobait sous elle. Le sang afflua à son visage et elle se mit à rougir jusqu'à la racine des cheveux.

Devant elle, mâchonnant un bout de viande crue, Marrant la regardait. Il était installé sur la rampe, un patin ramené sous lui, et Dieu sait depuis combien de temps il la surveillait ainsi. Elle sentait son cœur battre follement.

Il mordillait sa viande, poussant de temps à autre un curieux gloussement.

— Tu f'rais mieux de m'aider, déclara-t-elle. Je crois que je me suis foulé la cheville.

Marrant poussa un grognement, balança la bidoche par-dessus son épaule et quitta d'un bond son perchoir. D'un coup de roulette, il fut près d'elle.

— Tu sais, Hajine, murmura-t-il, c'est pas très prudent de se promener par ici.

CHAPITRE VI

Comme tous les soirs de grande bouffe, Starlette manquait d'appétit. Elle bectait du bout des lèvres en fixant un point invisible sur le mur, derrière moi. Au début de notre vie commune, ce manque d'enthousiasme me coupait l'élan. Je la supposais malade, ou fatiguée de la vie. Avec le temps, j'avais fini par me rendre compte qu'elle aimait se faire plaindre et qu'elle détestait la viande fraîche. Dès que la bidoche commençait à sentir et qu'elle prenait une vilaine teinte brune, Starlette se mettait à bouffer comme quatre. Le faisandé, c'était son vice. Encore une chose qui nous rapprochait pas. Je nettoyai consciencieusement mon manche de gigot sans me soucier de ses manières. J'avais d'autres soucis en tête. Je cherchais, me creusais désespérément les méninges pour trouver le moyen de flinguer ce sale con de Saignant, et je mordais d'autant plus rageusement dans la viande que je ne trouvais rien. J'avais des idées dingues. Complètement dingues. J'envisageais de me greffer une lame sous la peau, de me coller un explosif dans le fion... Imagine! Me défroquer en pleine réunion pour débourrer mon pétard. Je patinais en plein délire. Je m' cherchais des planques, des recoins de mon corps que j'aurais ignorés jusqu'à présent. Je passais tout en revue. Des doigts de pied jusqu'à mes crins de neige.

Je repoussai mon pilon, dégoûté. Il n'y avait qu'une solution. Puisque je ne pouvais pas faire entrer d'arme dans la salle, il fallait que l'arme s'y trouve déjà. Enfantin. L'emmerdant, c'est que Blue conservait le seul exemplaire de la carouble et que l'endroit était aussi réfractaire au délourdage que le Mur. Le Jongleur, lui-même, s'y serait cassé des dents. Sa salle de réunion, Blue se l'était confectionnée inviolable. Il me restait une chance. Que Blue décide d'une dernière réunion préparatoire et que j'en profite pour introduire mon artillerie. Y avait que ça.

— Tu manges plus? demanda Starlette.

— Non.

— Qu'est-ce qui se passe, Tout Gris?

— Rien, je réfléchissais.

Etais-je vraiment obligé de répondre?

Elle hocha doucement la tête, repoussant à son tour le morceau de bidoche qu'elle picorait depuis une demi-plombe.

— Si les combattants se mettent à réfléchir, maintenant..., soupira-t-elle.

Je la frimai, surpris. Elle m'envoyait du charre pleine peau, ou quoi? Je la sentais nettement agressive, frustrée, peut-être, de la prise de bec avec Hajine. J'aurais dû les laisser se foutre des gnons. Je me levai.

— Les combattants, ils t'emmerdent, les combattants !

— J'en ai autant pour eux, répliqua Starlette sur un ton douceâtre et supérieur qui me mettait en rogne. Si tu savais comme j'en ai marre de vous fabriquer des pansements, à tous. Et j' devrais être fière ! Quand je pense que ce grand connard de Blue a décidé de passer ! J'imagine le régiment d'éclopés qui va nous revenir sur les reins. Tiens, si j' m'écoutais, j'irais me faire fondre chez les Néons.

— Personne te retient !

Elle prit un temps, un rictus mauvais sur les lèvres. Je me suis demandé si elle osait parler comme ça avec Blue, du temps où ils étaient encore à la colle, de l'époque où son étoile ressemblait à une étoile, et pas à un furoncle pourri.

— Vous réfléchissez tellement, vous, les combattants, les vrais de vrais, que vous vous êtes jamais demandé pourquoi on voyait jamais de Néons femelles.

J'ouvris la bouche, puis la refermai. Qu'est-ce qu'elle voulait dire par là ? Des Néons femelles ?

— P't'être que vous vous imaginez, reprit-elle, qu'ils pondent des œufs ? Ou qu'ils se reproduisent comme des paramécies, en se divisant ?

Je la laissai causer, pigeant toujours pas où elle voulait en venir. Ellc me regardait, amusée maintenant.

— Alors, Tout Gris ? Où elles sont leurs femelles ?

Je haussai les épaules.

— J'en ai rien à secouer de tes conneries ! mentis-je.

Elle se mit à rire, insolente.

— Puisque t'es en période de gamberge, pense-z-y ! Ça te fera un sujet de réflexion.

— Pauvre pomme !

Je crachai sur la table et poussai la roulette jusqu'à la porte. En l'ouvrant, je butai dans Blue. Il me sembla qu'il était en train d'écouter à la lourde, c't endoffé !

— J' t'avais pas demandé de passer à la salle de réunion ? grogna-t-il, pas troublé.

Je sursautai.

— Ben non...

Blue fit la moue.

— J'ai dû oublier. Amène-toi, on a du boulot.

Il décarra aussitôt, sa mèche bleue au vent, comme un rayon de lumière à travers la poussière.

Je le suivis en vérifiant discrètement si je portais bien ma hachette à la ceinture. On retournait dans la salle de réunion. Tu parles d'un coup de pot !

Kajum le Musul entra dans le souterrain. Les gardes, le reconnaissant, le saluèrent et s'écartèrent. Il descendit une volée de marches irrégulières. Ici, l'air était frais et humide, chargé d'une forte odeur qui collait à la peau. Lorsqu'on était pas habitué, on y attrapait la crève en quelques secondes. Kajum ne sembla pas affecté par le changement de température. Il avait été élevé ici, dans la pénombre glacée, pendant que les adultes, eux, se lançaient vainement à l'assaut du Mur, laissant le territoire exsangue. Anéantis par les Néons, harcelés par les autres clans qui profitèrent de l'occasion pour se libérer du joug, les Musuls avaient dû abdiquer toute prétention hégémonique et se réfugier dans les profondeurs de la Cité. Les enfants survivants furent élevés dans la rancœur, dans le souvenir sans relâche perpétué d'un clan musul dominateur qui contrôlait tout, qui organisait tout, et que des ennemis sans scrupule avaient lâchement frappé dans le dos.

Le temps de la revanche était arrivé.

Ils avaient longtemps gardé le silence, laissant les autres clans forcir, se déchirer parfois, mais gagner chaque année en puissance aux dépens des plus faibles qui finirent par s'éteindre tout à fait. Les Musuls attendaient ce qui, forcément, devait arriver. Ils patientèrent des années. Gagnés parfois par le désespoir en voyant qu'aucun des clans ne parvenait à la puissance qu'avaient eue les Musuls au temps de leur splendeur.

Mais l'heure de la revanche était enfin arrivée.

Kajum parcourut le couloir, s'arrêta à une porte et frappa. Trois coups secs.

— Entre !

Kajum poussa la porte.

Soliane était allongée sur un tapis de laine, alanguie, suçotant délicatement des cubes de viande séchée imbibés d'huile. Elle regarda Kajum pénétrer dans la pièce, ses yeux en amande à demi masqués par de longs cils recourbés. Elle tapota le tapis de la paume.

— Viens t'asseoir près de moi, Kajum, et raconte-moi.

Kajum le Carnassier, ronronnant comme un chaton, s'installa aux côtés de Soliane. Elle lui proposa le bol rempli de cubes de viande qu'il refusa d'un geste. Soliane lui faisait un immense honneur en l'invitant à partager son repas, mais Kajum ne s'en sentait pas encore digne. Sa mission n'était pas tout à fait terminée. Il avait, comme tous les siens, prêté serment à Soliane, juré qu'il n'aimerait pas, qu'il ne s'accorderait pas de plaisir, qu'il ne penserait à rien d'autre qu'à rendre à son peuple le rayonnement de jadis. Et s'il épousait Soliane, plus tard, lui, le plus valeureux des combattants, il épouserait la reine de la Cité, pas la gardienne d'une cave sordide. Soliane connaissait Kajum. Elle savait qu'il bouderait son désir jusqu'à ce qu'il ait accompli son serment. Elle en avait elle-même scellé les nœuds, sachant refaire briller dans les yeux des jeunes Musuls le soleil qu'ils avaient perdu. Mais les années s'écoulaient, et Soliane vieillissait...

Elle regarda Kajum qui gardait les yeux baissés, humble et respectueux. Elle aurait voulu, sans doute, à ce moment-là, être une femme. Simplement. Et gémir toute une nuit sous les coups de boutoir de Kajum... Elle chassa l'image de sa pensée. Elle se souvenait de ce jeune Musul, presque un enfant, qui, rendu fou par les avances érotiques de Soliane, avait fini par lui céder. Il lui avait fait l'amour trois fois, et chaque fois en pleurant.

Il s'était castré le lendemain, à l'aube, et les gardes l'avaient retrouvé, recroquevillé comme un fœtus, vidé de tout son sang.

Soliane réprima une grimace.

— Alors, Kajum ? Je t'écoute.

— Ils vont tenter de passer en s'associant avec d'autres clans, fit Kajum, rapidement.

Un éclat métallique scintilla dans le regard de Soliane.

— Quels autres clans ?

Il répéta tout ce que lui avait révélé Hajine et termina son exposé en précisant qu'il allait devoir se trouver là-bas chaque matin pour obtenir le dernier renseignement.

Soliane garda le silence, un long moment. Kajum restait de marbre.

— Ainsi c'est arrivé, soupira-t-elle. Ils vont passer.

Elle se retourna vers Kajum.

— Ne parle de ça à personne, ordonna-t-elle sèchement. Il est encore trop tôt et notre peuple serait trop déçu si les Patineurs devaient renoncer à leur projet.

— Ils ne renonceront pas, décida Kajum, qui n'en savait foutrement rien.

— Ne parle pas, répéta-t-elle.

Il s'abstint, cette fois, de tout commentaire. Il songeait déjà à sa propre déception si, par malheur, les clans ennemis ne s'attaquaient pas, comme prévu, aux Néons. Soliane avait raison, comme toujours. Mieux valait taire la nouvelle encore quelque temps.

Elle piocha un cube dégoulinant d'huile entre le pouce et l'index et le porta à ses lèvres.

— Tu peux partir maintenant.

Kajum se releva aussitôt. Il se dirigeait vers la porte quand Soliane le rappela.

— Kajum !

Il s'arrêta, figé.

— Quand tu auras obtenu le dernier renseignement, poursuivit-elle, tu la tueras.

Kajum entrouvrit la porte.

— Kajum !

L'appel était plus fort, plus sec. Kajum se retourna.

— Oui, Soliane ?

— Tu la tueras, n'est-ce pas ?

Kajum hocha lentement la tête et referma la porte derrière lui.

Blue avait bridé la porte de la salle de réunion et s'était planté devant moi, une lueur malicieuse dans le regard.

— Vas-y, ordonna-t-il. Commence.

Je devais avoir l'air con car il semblait s'amuser prodigieusement.

— Que j' commence quoi ?

— Ben, à me fouiller pardi ! J'ai une arme sur moi, trouve-la.

Je détaillai Blue, de la tête aux pieds. Il se fringuait au minimum. Une peau de mouton sur les épaules, fermée par des lanières de cuir, un collant noir et ses patins. Il pouvait pas planquer grand-chose dans les faux plis. Le génital bien moulé, il aurait pas pu y glisser un canif sans que tout le monde s'en rende compte. Fallait chercher ailleurs.

— Qu'est-ce que t'attends ? grogna Blue.

— Quoi ? Comme ça ?

— Evidemment comme ça ! s'emporta Blue. Ils vont se marrer les autres si tu restes devant eux sans les toucher. Une fouille, ça se fait pas avec les yeux. Tiens, t'as qu'à imaginer que j' suis...

Il se mit à sourire.

— ... Que j' suis La Lame, par exemple. Allez, magne-toi le cul ! On va pas y passer la nuit. J'ai pas encore becté, moi !

La Lame, par exemple. Cet exemple-là, j' le trouvais plutôt mal choisi. Ou trop bien. Au choix. Je sentais que Blue étudiait chacune de mes réactions. Il donnait cependant pas l'impression de se méfier. Plutôt de se marrer. Ça m'encourageait pas. J'ai eu brusquement l'envie folle de lui demander de choisir un autre Patineur pour l'accompagner. N'importe lequel aurait mieux fait l'affaire que moi.

Inconsciemment, je m'étais mis à palper la peau de mouton. Je palpais, je palpais, et je trouvais que dalle. Ça commençait à me courir.

— Retourne-toi, grognai-je.

Blue, docile et toujours souriant, se retourna. Il poussait la complaisance jusqu'à garder les bras levés. Je poursuivis mon inspection. Y avait rien dans cette conne de peau ! Rien du tout. Je lui frimai une dernière fois les jambes et je poussai un soupir de découragement.

Blue me fit face, goguenard.

— Et les patins ?

— Quoi les patins ?

— T'as pas regardé mes patins !

Il s'installa dans son fauteuil de dentiste et me fila ses roulettes sous le pif. D'abord, je ne vis rien, puis, en m'approchant un peu, je remarquai une crémaillère que je ne connaissais pas. Je touchai le socle métallique, indécis, cherchant vaguement à faire coulisser quelque chose. Blue ricanait. Le système d'ouverture était planqué sous la roulette arrière gauche. En l'actionnant, je fis tomber une fine lame à double tranchant qui roula sur le sol avec un tintement joyeux. Je pris l'objet et le balançai sur la table.

— Et voilà le travail ! fis-je, satisfait.

Blue se remit debout.

— Bravo, déclara-t-il. J' peux assister à la réunion maintenant ?

J'hésitai, sentant venir la patate.

— Y a rien sous l'autre patin, grommelai-je. J'ai regardé.

— Alors, je peux ? s'impatienta Blue.
— Oui.
Blue hocha la tête.
— Tout Gris ?
— Ouais ?
— J'ai un poinçon planqué dans la raie du cul.
— Quoi ?
— J'ai un poinçon planqué dans la raie du cul, répéta Blue, doucement.
— Ah, merde ! soupirai-je.
Blue se gratta le menton.
— Ouais, ben c'est pas dans la poche, mon pote, grogna-t-il. T'es une vraie pâquerette. Une douceur pour les vicieux.

Kajum entra dans la salle principale du souterrain, creusée dans les plus lointaines profondeurs. Une véritable forteresse à laquelle seule une poignée de combattants musuls avaient accès. L'état-major de guerre.

Au centre de la salle, une maquette de la Cité, hérissée de petits drapeaux multicolores, incroyablement précise. C'était le fruit du travail fabuleux des espions musuls. Les Fourmis. Pas une rue n'y manquait, pas un abri, pas un tunnel, rien. C'était la Cité, miniaturisée et sans les fantômes d'humains qui la hantaient. Chaque couleur de drapeau signifiait quelque chose. Rouge pour les fortes concentrations d'hommes, jaune pour les nurseries, bleue pour les abris, noire pour les zones intermédiaires où les rixes se produisaient le plus souvent. Les drapeaux verts marquaient un endroit subjectif, considérés par les Musuls comme le point stratégique de chaque territoire. Le Mur, curieusement, avait été peint en blanc. Kajum n'avait jamais très bien compris pourquoi. Mais le Mur n'intéressait plus beaucoup les Musuls. Il était la cause de tous leurs malheurs.

Kajum observa longuement la maquette, impressionné par le spectacle. Son regard s'arrêta un instant sur un petit drapeau noir, planté au milieu d'une rue qui séparait le territoire des Patineurs et celui des Bouleurs.

— Hey ! Kajum ! Tu te fais rare ces derniers temps.

Kajum pivota et vit arriver Jed, un des rescapés du Mur, le plus vieux des combattants musuls. Ils se filèrent l'accolade. Jed prit Kajum par les épaules.

— Laisse-moi te regarder un peu ! T'as l'air en forme, mon gaillard. Ça fait plaisir.

Il le lâcha.

— Alors ? Tu viens nous apporter de nouveaux renseignements ?

Kajum secoua la tête.

— Non.

Jed fronça les sourcils.

— Tu te relâches, fils, fit-il sur un ton de reproche. Faut pas se relâcher. Le jour arrivera.

— Oui, répéta Kajum, le jour arrivera.

Jed hésita une seconde et se mit à rire.

— Tu devrais aller voir Soliane. Elle te redonnera du cœur à l'ouvrage.

— J'en viens.

Jed se gratta la base du nez. Un tarin pas croyable. A peine apparent. Avec une fine membrane adipeuse qui plongeait vers deux narines pas plus grosses que deux fions de puce.

— Soliane t'aime bien, tu sais, murmura Jed. Et moi aussi, je t'aime bien.

— On s'aime bien tous, fit Kajum, grimaçant.

— Et quand on s'aime bien tous, continua Jed, pas déconcerté par l'ironie grinçante de Kajum, on se fait part de nos soucis.

— T'as des soucis ?

— Non, gloussa Jed. Mais toi, t' as l'air d'en avoir. Et de sérieux.

Kajum soupira.

— Tu te trompes, Jed. Je suis un peu fatigué, simplement.

Il fit demi-tour et quitta la salle. Le corps d'Hajine dansait dans sa tête. Et ça, il pouvait pas en parler à Jed, ni à aucun autre Musul. Personne pouvait comprendre.

Je commençais à en avoir plein le dos. Blue venait de m'annoncer qu'une de ses roulettes était en fait une bombe miniature qui explosait trois secondes après qu'on en eut pressé le boulon. Ça devenait très pénible. J'en étais arrivé au point où je me demandais ce qu'il allait me sortir de ses dents creuses. Et en plus, pour me faciliter le boulot, je ne pensais qu'à ma hachette et au moyen de la dissimuler sans qu'il s'en aperçoive. Il me quittait pas des yeux. C'est au moment où il me demandait de recommencer la fouille que j'ai aperçu mon jour.

— Tu sais ce qu'on devrait faire ?

Blue haussa les sourcils.

— Non...

Je pris la lame à deux tranchants posée sur la table.

— Je vais planquer ça sur moi et tu vas essayer de le trouver. Comme ça, je verrais comment tu fais.

Orgueilleux comme il l'était, il prit ça pour un défi.

— Ça va ! grogna-t-il. J' me retourne.

— Non, non ! m'écriai-je. Ça serait trop simple. Tu vas sortir pendant deux minutes.

Blue me balança un regard curieux.

— T'es un compliqué, Tout Gris, souffla-t-il en se dirigeant vers la porte. T'as toujours été un compliqué.

Il quitta la salle.

J'avais déjà repéré l'endroit idéal. Blue siégerait à coup sûr sur son satané fauteuil de dentiste et moi, pour le peu que j'en savais, je me tiendrais debout derrière lui. Je plaquai ma hachette sous le fauteuil et ramenai un bout de tuyau pour la maintenir. A la troisième tentative, la hachette resta collée au siège, parfaitement invisible. Je reculai de quelques mètres pour mesurer le résultat. J'avais le palpitant déchaîné qui me martelait les côtes comme un forcené.

— Ça y est ? gueula Blue, dehors.

Merde, la lame ! Je la glissai rapidement dans un fauteuil éventré et je criai à Blue d'entrer.

Dire qu'il m'en fit baver serait en dessous de la vérité. Il m'inspecta millimètre par millimètre, me triturant les endroits sensibles comme s'il voulait les arracher. Pas un pouce de peau ne passa à trave. Quand il s'arrêta enfin, en nage, j'avais l'impression de sortir d'une bétonnière.

Il avait pas l'air heureux.

— Putain, j'abandonne ! Vas-y, annonce la couleur.

Je me penchai sur le fauteuil et sortis la lame.

— Maintenant, dis-je, pas mécontent de la farce, j'ai vraiment compris.

Blue gonfla les joues.

— Sale con ! ragea-t-il.

Je rigolai.

— Bon, décida-t-il, j' vais becter. J'espère que la leçon t'aura profité.

La leçon, au demeurant, c'était un peu moi qui lui avais filée. Il soupçonnait pas une seconde que je l'avais fait marron.

Blue ouvrit la porte et s'effaça pour me laisser passer. Je m'arrêtai devant lui.

— Au fait, Blue, t'as une idée des places qu'on prendra autour de la table ?

— Ça se passera pas ici, répondit Blue, placide.

Je crus que toute la crasse de cette Cité me pénétrait la gorge.

Je suffoquai. Je m'exorbitai. Je titubai, la roulette pâteuse. Blue me regardait, souriant.

— Tu reprendras ta hachette la prochaine fois.

CHAPITRE VII

La réunion débuta au beau milieu de l'enclave réservée aux Krishies, sous une coupole au dôme défoncé aménagée à cet effet. Blue avait insisté pour que le mobilier soit réduit au strict minimum et les Krishies avaient entièrement nettoyé l'endroit, débarrassé des parpaings et posé simplement à même le sol des peaux de moutons. Une vingtaine de combattants de chaque clan concerné furent autorisés à stationner à une centaine de mètres tout autour de la coupole. J'avais la sale impression d'être encerclé, d'avoir la tête dans un étau. Le moindre incident pouvait dégénérer en boucherie. Désarmés comme nous l'étions, Blue et moi, je nous voyais pas beau en cas de baston générale. Blue, en revanche, semblait détendu, même s'il marquait par moments une certaine fébrilité. Il ne m'avait plus jamais reparlé de l'épisode de la hachette. J'aurais sans doute préféré un bon coup de gueule plutôt que cet inquiétant silence. Il pouvait pourtant plus ignorer maintenant que j'avais tenté de saboter son projet. A plusieurs reprises lors de nos dernières rencontres, j'avais tenté de lui fournir des explications, mais à chaque fois, avec l'obstination d'un mulet, il détournait la conversation. Il ne parlait plus que du Mur et du système de communication des Néons. Un discours lancinant avec les mêmes questions répétitives dont je connaissais par cœur chaque virgule. J'avais fini par conclure qu'il me gardait à ses côtés parce qu'il attendait quelque chose de moi. Mais quoi ?

Les deux représentants du clan des Skins arrivèrent juste après nous. Sur une moto avec side-car, un engin hallucinant avec un appareillage de combat à faire pâlir l'équipage d'un bombardier lourd. Les deux Skins portaient une tenue d'une pièce et des casques pailletés d'or. De longues flammèches partaient en gerbes multicolores de leurs coudes jusqu'à leurs poignets.

J'allais devoir fouiller ça ! Je jetai un coup d'œil effaré à Blue.

Un autre problème, infiniment plus sérieux, qui risquait de tout compromettre, se posa lorsque les Bouleurs entrèrent sous la coupole. Leur arme principale, eux, ils la portaient scellée dans le front. On ne pouvait pas leur enlever cette terrible plaque métallique sans les décapiter. Les Bouleurs, pas gênés, vinrent directement vers moi. Je paniquai. Je les voyais déjà m'éclater à tour de rôle, à grands jetons dans le crâne. Je me mis à penser à Marrant et à sa mère. Ça avait dû commencer à peu près comme ça. Le plus gros des deux s'arrêta juste devant moi. Il avait une gueule atroce. Boursouflée, violacée, des kystes si monstrueux que ça lui crevait la peau, un visage entièrement infecté et une plaque piquée de rouille. Il adressa un sourire, sorte de rictus de batracien, à Blue qu'il semblait connaître et s'occupa de moi, nettement moins souriant.

Je serrai les dents quand il commença à me fouiller. Ses pognes calleuses m'exploraient la physionomie avec une précision diabolique. Après l'entraînement de Blue, je croyais en connaître un bout question fouille. Mais ce Bouleur me damait le pion. L'infect alla jusqu'à me vérifier les poils du pubis. Seigneur ! Qu'est-ce que j'aurais bien pu planquer là-dedans ?

Il se redressa enfin, me fixant avec ses petits yeux humides.

— Fais voir tes patins, Crin Blanc, grogna-t-il.

— Je m'appelle Tout Gris.

— Tu pourrais bien t'appeler Cul Noir que ça serait du pareil au même. Fais voir tes patins !

J'essayai de faire bonne figure, mais en m'allongeant devant ce Bouleur, c'était pas simple. Il se mit à me tripoter les roulettes, minutieusement, vérifiant les boulons, les axes d'ajustement, passant le plat de sa main sur les bords métalliques. En me détronchant légèrement, je vis l'autre Bouleur qui soulevait chaque peau de mouton. Blue n'était plus là. En cas de suif avec ces deux vilains, j'allais faire autant de dégâts qu'un pet de cancrelat. J'en voulais à Blue de ne m'avoir pas raconté exactement comment ça devait se passer, mais je suppose qu'il avait sans doute omis volontairement de le faire.

Le Bouleur me lâcha les patins.

— Ça va, Crin Blanc, fit-il. T'es réglo.

Je me relevai tandis qu'il s'éloignait vers son pote.

— Une seconde ! gueulai-je.

Le Bouleur se retourna, avec une vivacité surprenante, ses petits yeux étrécis comme deux cachous noirs plantés dans des collines de pus.

— Qu'est-ce qui se passe, Crin Blanc ?

— Tout Gris.

Le Bouleur m'observa un moment, puis hocha doucement la tête. Sa plaque frontale scintilla.

— D'accord, Tout Gris, murmura-t-il. Qu'est-ce qui se passe ?

— J' t'ai pas encore fouillé.

Il gloussa.

— Mais t'as pas à me fouiller, mon pote ! On t'a pas expliqué ? Chaque homme en fouille un autre, c'est tout. Moi, j'étais chargé de m'occuper de toi, mais toi, tu n'es pas chargé de moi. T'as pigé maintenant ?

Il ajouta après une seconde :

— ... Tout Gris ?

Il éclata de rire et retourna vers son compagnon qui palpait toujours les peaux. Je l'entendis dire :

— Ce con de Blue, il en fera jamais d'autres !

J'étais déconcerté. Je me sentais gland au possible. Je fonçai, furax, vers la sortie. Blue s'y trouvait. Il surveillait l'arrivée des représentants du clan des Youves. Deux grands types au profil d'aigle vêtus d'un uniforme bleu sombre et de bottes à hauts talons. Ce qui surprenait le plus, chez les Youves, c'était leur propreté. Toujours nets, ces vautours! A croire que la poussière prenait pas sur eux. Ils étaient prétentieux, orgueilleux et avaient la réputation de détenir un impressionnant stock d'armes à feux.

Ils serrèrent la louche à Blue et me passèrent devant, sans me calculer. Ça m'apaisa par la rogne. Je tapai sur l'épaule de Blue. Il me regarda.

— Qu'est-ce que c'est que ces conneries? m'écriai-je. Le Bouleur vient de me dire que je n'ai qu'un type à fouiller?

— C'est exact.

Je grognai.

— T'aurais pu me prévenir! J'ai vraiment l'air d'une truffe. Et c'est qui, le type?

Blue leva la main.

— Le voilà, justement.

Je regardai le vieux La Lame gravir les premières marches, plus sale, plus vilain, plus arrogant que jamais.

L'Errant poussa un bref juron. Il était encore trop éloigné de l'entrée de la coupole. Il vérifia une dernière fois la visée de sa lunette. Après quelques secondes, il reposa son fusil. Ça ne pouvait pas coller. Il lui faudrait un maximum de chance pour atteindre une cible à cette distance et il doutait que la portée de son arme soit suffisante pour tuer. L'enjeu était trop important pour laisser la moindre place au hasard. Le choix de cet endroit pour la réunion présentait un avantage et un inconvénient. L'enclave des Krishies était relativement facile à pénétrer. En revanche, la coupole était plantée au centre d'une immense esplanade, sans l'ombre d'un abri, et totalement cernée par les troupes combattantes des clans présents. On n'approchait pas sans traverser ce rideau de guerriers.

L'Errant se mordit la lèvre inférieure.

Il jeta un coup d'œil autour de lui. Son regard panoramique glissa sur un espace vert, le dépassa, puis y revint pour s'y fixer. Au milieu de la pelouse, un Krishie solitaire surveillait une vingtaine de brebis.

Une fossette profonde en forme d'étoile à trois branches creusa la joue gauche de l'Errant.

Ça se tripotait dans tous les coins de la salle. J'aperçus, un peu plus loin, Blue entre les pognes d'un des Youves. Un Krishie, exceptionnellement admis à la réunion, manifestait sa surprise de n'être pas fouillé comme tout le monde. Il n'avait rien trouvé de mieux, cette croix, pour nous faciliter la tâche, que d'arriver complètement à poil. Les Skins, déjà naturellement bruyants, étaient écroulés. Le Bouleur qui m'avait inspecté se dirigea vers le naturiste.

— Enfile un bénouze, merde ! protesta-t-il. Y a déjà assez de clowns ici.

— Qui sont les clowns ? gueula un Skin, la mâchoire agressive.

Joyeuse ambiance.

La Lame se planta devant moi et me toisa.

— Vas-y, p'tite roulette, fais ton boulot.

P'tite roulette ! J'avais une envie dingue de les lui planter dans les orbites, mes p'tites roulettes ! Je le fixai, les yeux chargés de haine. Seigneur ! Il était là. Devant moi ! J'entendais la voix de Champagne qui me susurrait à l'oreille : « Tue-le, ce porc ! Tue-le ! » Je devinais le regard de Blue posé sur mon dos. Il devait surveiller chacun de mes mouvements, prêt, peut-être, à intervenir en cas de pépin. Et pas forcément en ma faveur.

— Quelque chose qui ne va pas, p'tite roulette ? s'inquiéta le vieux Saignant.

Je secouai la tête.

— Enlevez votre blouson, balbutiai-je. Ça ira plus vite.

Je l'avais vouvoyé ! Quel nave je faisais ! Je me votai intérieurement une volée de coups de pompe dans le prose. Est-ce qu'il me vouvoyait, lui ? Est-ce que quelqu'un dans cette Cité aurait seulement songé à dire vous à ce gros tas de merde ? La Lame avait noté la nuance. Il me regardait plus attentivement à présent, comme s'il cherchait à se souvenir de quelque chose, le sourcil houleux.

— Je quitte jamais mon blouson, grogna-t-il. Ni mon fute ni mes pompes. Démerde-toi avec ça.

— D'accord, murmurai-je.

Blue, s'il m'épiait, pouvait admirer le travail. L'élève, pour l'occasion, surclassait le maître. La Lame, je le passai à la moulinette, au tamis de mes doigts. Je lui extirpai les points noirs, je lui vérifiai, comme à un canasson, l'état des chicots, je lui trifouillai les étiquettes, je lui déchirai les coutures. En trois minutes, le chef des Saignants, je l'avais rendu chiffon. Son regard était passé de l'amusement à l'incrédulité. A présent, il virait franchement colère. Je lui arrachai une poche.

Il poussa un rugissement.

— Blue ! hurla-t-il. Dis à ce p'tit con d'arrêter son cirque sinon j' réponds plus de moi !

Blue, qui en avait terminé de son côté, s'approcha. Il écarta les mains, en signe d'impuissance.

— C'est la règle, La Lame, fit-il. Tout le monde doit s'y plier.

Je lui arrachai la deuxième poche. Je crus que La Lame allait me massacrer sur place. Il parvenait même plus à articuler. Il bavait de rage.

Je poussai un cri de victoire.

— Et ça ? demandai-je en montrant une fine lame triangulaire. C'est une boussole ?

Blue haussa les sourcils, intéressé.

— J'ai dû l'oublier, grommela La Lame. Je trimbale toujours une dizaine de ces trucs-là.

— Aujourd'hui, déclara Blue, faudra essayer de t'en passer.

La fouille se termina sans que je ne découvre autre chose. Tous les chefs de clans s'installèrent sur les peaux de moutons. La Lame ne me quittait pas du regard. Je sentais qu'on risquait pas de devenir copains. Curieusement, cette fouille m'avait fait perdre tout complexe à son égard. Je le méprisais ouvertement. J'avais l'impression de le tenir dans le creux de ma main et que je n'avais qu'à souffler dessus pour qu'il disparaisse, comme un grain de poussière noire.

P't'être bien qu'il avait cette impression-là aussi...

*
**

L'Errant tira le cadavre à l'intérieur du bâtiment. Comme il l'avait prévu, le Krishie, en voyant arriver son assassin, n'avait pas prononcé la moindre parole ni esquissé l'ombre d'un geste de défense. Il acceptait la mort, comme d'autres acceptent une poignée de main, généralement avec le sourire. En serrant la cordelette autour du cou du Krishie, l'Errant eut une illumination. Si ça se trouve, ces dingues aimaient ça ! Crever, se faire défoncer, éventrer, étrangler, le pied suprême. La consécration jouissive. Elevés dans l'attente miséricordieuse d'une mort brutale qui, dans la Cité, ne se faisait pas souvent attendre. La Ville avait accouché d'une jolie brochette de monstres.

L'Errant déshabilla le macchabée, ôta ses propres frusques et enfila la longue robe orange. Fallait pas avoir besoin de courir !

Les pans qui traînaient sur le sol, c'était l'idéal pour s'emmêler les crayons. C'est vrai que les Krishies, eux, ne couraient jamais. L'Errant glissa son fusil sous la robe et faillit sortir, lorsque, en jetant un ultime coup d'œil sur le cadavre, il s'aperçut qu'une nouvelle fois quelque chose ne collait pas.

Il se passa la main dans sa chevelure épaisse. Les Krishies étaient tous chauves comme des genoux.

Comme Blue était l'instigateur de cette réunion, tous les regards se tournèrent naturellement vers lui. Il allait commencer à parler, mais La Lame le devança.

— Pas question d'alliance avec des voleurs ! gueula-t-il, la banane agressive.

— Pardon ? s'étonna Blue.

— T'as très bien entendu ! Pas d'alliance avec les voleurs !

Tous les types se regardaient, surpris. Moi, je pensai que cet enfoiré de Saignant était venu là pour foutre la merde. Et rien d'autre.

Blue écarta les bras.

— Mais je n'ai pas encore parlé d'alliance ! protesta-t-il.

La Lame gloussa.

— Quelle connerie ! Tout le monde ici sait pourquoi on est là. Pas la peine de nous faire chier avec tes discours ! Tu veux passer ? D'accord ! T'as besoin des autres clans pour ça ? A priori, à part les Musuls et les Errants, personne ne semble contre. On est tous réunis dans cette taule parce qu'on veut tous passer !

Il y eut quelques murmures d'approbation. Apparemment, la façon directe de La Lame plaisait beaucoup. Ça changeait des périphrases diplomatiques de Blue.

— Seulement, y a un os, continua le Saignant.

Il se tourna franchement vers Blue.

— Un de tes Patineurs nous a volé une blindée, lâcha-t-il. Alors que nous avions déjà conclu un accord !

Blue secoua la tête. Sa mèche bleue s'étala sur son épaule.

— Nous n'avons conclu aucun accord.

— Putain ! cracha La Lame, hors de lui. Mes hommes te font prisonnier et j' te laisse sortir vivant de mon territoire ! C'est pas un accord, ça ? Tu manques de figure, Mèche Bleue !

Blue se racla la gorge.

— Bon, admit-il. Un Patineur t'a volé une bagnole. Et alors ? Qu'est-ce que tu veux ?

Je sentais venir le suif à grandes enjambées. Je commençai à jeter des coups d'œil inquiets autour de moi et à frimer discrètement vers la porte de sortie, malheureusement bouclée. Je voyais mal comment Blue allait pouvoir nous sortir de ce pétrin.

— J' veux la bagnole et le type ! fit La Lame. Tout de suite !

Il se mit à sourire, relevant vers le haut de son visage son entrelacs de cicatrices.

— Et te goure pas de mannequin, Blue, ricana-t-il. Ne m'amène pas un moribond. Mon pote Rubis, ici présent, connaît le voleur.

Rubis se tortilla sur sa peau de mouton.

Blue se tourna vers le Youve qui l'avait fouillé.

— T'as vérifié le contenu de la boîte, déclara-t-il. J' peux leur montrer ?

Le Youve approuva d'un geste, pas mécontent, apparemment, d'être le seul dans le secret. Blue se leva et se dirigea vers un coin de la salle où il y avait, effectivement, une boîte, format carton à chapeau, que je n'avais pas remarquée jusqu'à présent. Ça signifiait quoi, au juste, son manège ? Blue prit la boîte.

La Lame et le gros Bouleur se levèrent instantanément.

— Qu'est-ce que tu manigances, Blue ? menaça le Saignant en portant instinctivement sa main vers la poche déchirée où j'avais trouvé l'arme en forme de triangle.

— J'ai fouillé la boîte ! gueula le Youve, un rien susceptible. Vous pouvez vous rasseoir.

Il ajouta en se marrant :

— Ça mord pas.

Le Bouleur reprit place à contrecœur, mais La Lame resta debout.

Sans se soucier de lui, Blue posa le carton au centre du cercle formé par les hommes, en ôta le couvercle et en fit rouler le contenu sur le sol, jusqu'aux pieds du Saignant. La Lame fit un bond en arrière et poussa un couinement de rongeur.

Blue, toujours calme, se tourna vers Rubis.

— C'est bien lui ? demanda-t-il.

Rubis hocha la tête, pâle comme la mort.

— Parfait, fit Blue en revenant à La Lame. Ta blindée est dehors. Tu pourras la reprendre en partant.

Il prit un temps.

— J'espère que tu es satisfait et que, maintenant, on peut commencer ?

Le Saignant reposa son cul sur la peau de mouton et se curva la banane d'un geste délicat.

— D'accord, Blue, souffla-t-il. On t'écoute.

Moi, je n'écoutais plus rien du tout. Je n'entendais plus rien. Je regardais, halluciné, tremblant de tous mes membres, posée entre les jambes de La Lame, la tête tranchée du Jongleur.

CHAPITRE VIII

Les dernières mèches de cheveux tombèrent sur le sol, mêlant leur couleur à celle de la poussière. L'Errant regarda un instant la demi-lame de rasoir qu'il tenait entre le pouce et l'index, haussa les épaules, souffla sur le tranchant et entreprit de rendre son crâne aussi lisse qu'un œuf. Au fur et à mesure de l'opération, délicate et douloureuse, il sentait l'énervement le gagner. Un mince filet de sang coula sur son front, s'attarda un instant, rutilant, sur l'arcade et s'écrasa sur sa pommette.

Blue était surexcité. Il s'agitait autour de la carte, très approximative, de la Cité qu'il avait déployée sous les yeux des chefs de clans. Il avait insisté à plusieurs reprises sur l'étonnante faculté des Néons à se regrouper lorsqu'un point quelconque du Mur était attaqué. Visiblement, La Lame et Rubis, les deux Bouleurs et les Youves, bien que restant à distance, étaient passionnés par l'exposé. Blue savait faire vibrer en eux la fibre du combattant. Seuls les Skins continuaient à glousser dans leur coin, se désintéressant apparemment du projet de Blue. Les Skins étaient de véritables gosses, mais leurs farces s'avéraient souvent sanglantes. La provocation leur était naturelle, un signe de santé, et, malgré leurs ricanements incessants, j'avais la très nette impression qu'ils écoutaient attentivement les explications de Blue. Si les Youves étonnaient par leur propreté, les Skins, eux, surprenaient par leur puérilité. Physiquement, ils avaient tous l'air à peine adolescent, le bouton facile et l'œil vicieux. Pas demeurés, non, mais gosses. Y avait une nuance. Il y a bien longtemps qu'on avait renoncé à les prendre pour des charlots. La dent de lait, chez les Skins, elle poussait dure. Et pointue.

— Les Musuls se croyaient trop forts, expliquait Blue en entourant d'un trait rouge le territoire de ces chiens. Ils pensaient pouvoir affronter les Néons sur leur terrain, à n'importe quel endroit du Mur pourvu que les deux armées s'y affrontent. La suite leur a prouvé qu'ils avaient tort. Tous les combattants de la Cité réunis ne parviendraient pas à défaire les Néons.

La Lame grogna, la banane au ras des yeux :

— Si je comprends bien, t'es en train de nous expliquer qu'on a aucune chance de réussir ?

Blue hocha la tête.

— En lançant nos hommes tous ensemble à

l'assaut du Mur, aucune chance, effectivement...

— Alors qu'est-ce qu'on fout ici ? s'énerva La Lame.

Blue se redressa, visiblement pas satisfait d'être sans cesse interrompu. Il jeta un regard noir aux deux Skins qui se filaient des grandes claques sur les cuisses en frimant la tête du Jongleur. Il devait avoir envie, peut-être, de leur flanquer une mornifle pour les faire taire. Ç'aurait été, chez les Skins, sûrement très mal vu.

— Il y a un mais, lâcha Blue.

— J' t'ai pas entendu dire mais, rétorqua La Lame.

— Si tu me coupais pas sans arrêt, j'aurais eu le temps de l' dire !

La Lame soupira.

— T'es trop lent, Blue. T'es là, tu jactes, tu jactes et on sait toujours que dalle sur c' que t'as dans la tronche ! Accouche une bonne fois et on te dira si le marmot est à notre goût.

Blue sembla un instant désarçonné. J'étais certain que ce n'était pas comme ça du tout qu'il avait envisagé les choses. Je savais qu'il aimait expliquer longuement les raisons pour lesquelles ses décisions étaient les meilleures. La Lame le poussait au cul et il n'appréciait pas.

— J' suis d'accord ! couina le Krishie, isolé dans un coin de la salle.

Tout le monde se retourna vers lui.

— T'es d'accord pour quoi ? demanda Blue.

— J' suis d'accord ! répéta le Krishie avec

une curieuse voix de fausset. J' suis d'accord pour tout !

La Lame leva les yeux vers le plafond défoncé de la coupole.

— Est-ce que quelqu'un peut faire taire cet imbécile avant que je ne l'enfonce dans le ciment à coups de talons ?

Le Krishie se mit à regarder ailleurs et la boucla définitivement. Ça virait folklo. Les Néons, s'ils nous entendaient, devaient plutôt se fendre la pipe. Ce Mur, tel que c'était parti, je l'envisageais encore inviolé pour un sacré bout de temps.

L'Errant, disposant pas de miroir, pouvait pas se contrôler la physionomie, pas juger de son boulot au rasoir. Il vérifiait du plat de la main, se passant soigneusement la paume sur le crâne, pour voir si, des fois, un épi vicelard serait pas passé à trave du carnage. Il avait la tête en feu, se supposait la peau enflammée et rouge, mais il décida que ça devait coller. Ces enfoirés, dont il entendait d'ici les rires gras, n'allaient tout de même pas lui vérifier le citron à la loupe.

De toute façon, sachant pas quand allait se terminer cette réunion, il pouvait pas s'attarder davantage.

Le poignard, qu'il portait habituellement scotché à la cheville, il le glissa dans sa manche et le fixa avec un lambeau d'adhésif. Il reprit son fusil dont il avait bazardé la lunette, inutile désormais, et le remit sous sa robe, plaqué sur son flanc droit.

Il ferma un instant les yeux, prit une profonde inspiration, comme s'il s'apprêtait à passer un bon moment sous la flotte, et sortit dans la rue.

D'une démarche un peu raide, son fusil lui favorisant pas l'élégance, il se dirigea directement vers la coupole.

Blue traça rageusement quatre croix rouges à divers endroits du Mur. Il insista à grands coups de craie sur la quatrième qu'il encercla finalement.

— Nous devons attaquer successivement ces trois premiers points, mais (il pointa la croix entourée d'un rond) c'est ici que nous passerons.

La Lame croisa les bras.

— Tu fais diversion, en somme ?

— Oui, mais pas une diversion bidon. Pas question d'envoyer trois quatre pékins harceler les Néons. Si vous les avez observés un peu, vous devez savoir qu'ils ne se regroupent qu'en fonction de l'importance de l'attaque. Ils n'arrivent pas à trois cents sur un individu isolé qui leur balance des pavés. Pour les désorganiser réellement, il faut que chaque assaut soit sérieux. Que les combattants foncent comme s'ils devaient vraiment passer ! Lorsque nous attaquerons le quatrième emplacement, avec le plus fort de nos armées, il faut que les Néons soient en pleine panique, qu'ils ne sachent plus où donner de la tête. Je suis persuadé qu'ils perdront un temps énorme avant de comprendre tout à fait ce qui se passe.

La Lame semblait pas convaincu. Les deux Skins s'étaient rapprochés et observaient les croix rouges avec un sérieux qu'on ne leur connaissait pas.

— Et pourquoi on attaquerait pas tous ensemble ? grogna le Saignant.

— Les Musuls s'y sont brisé les reins, répéta Blue. Et nous ne sommes guère plus puissants que les seuls Musuls de cette époque.

La Lame se lissa de nouveau la banane. Ça devait être, chez lui, un signe de nervosité.

— Une seconde ! s'exclama le Bouleur qui m'avait fouillé, et qui avait jusqu'ici suivi les débats sans prendre la parole. Comment tu comptes répartir nos hommes dans ces assauts ?

Blue hocha la tête. Il attendait visiblement la question.

— Evidemment, soupira-t-il, chacun de nos clans combattant séparément serait sans doute plus efficace, mieux coordonné qu'un mélange. Mais je ne vois comment nous pourrions décider qui lancerait le dernier assaut...

— Moi non plus, grinça le Bouleur qui se comportait exactement comme si Blue cherchait à l'arnaquer.

Je n'étais d'ailleurs pas tout à fait sûr que

Blue n'ait pas cherché à le faire. Il tâtait le terrain, prudemment, du bout des doigts.

— Alors ? insista le Bouleur.

— Alors nous devons diviser nos combattants en quatre divisions, numérotées en ordre de valeur. Les hommes faisant partie de la troupe numéro un se réuniront et lanceront le premier assaut. Et ainsi de suite. Etant bien entendu que les combattants les plus valeureux doivent figurer dans l'armée qui lancera l'ultime attaque.

— Les chefs de clans aussi ? demanda La Lame.

Blue gloussa.

— Ça me paraît difficile de faire autrement.

Le Bouleur ne démordait pas de sa méfiance.

— Et qui commandera les assauts ? Nous sommes cinq clans de combattants réunis ici, et je compte pas l'autre abruti là-bas...

Il montra du doigt le Krishie qui semblait dormir, assis au pied d'un pilier.

— ... Cinq clans pour quatre attaques différentes.

Blue fit la grimace.

— Je pense que le commandement des trois premiers assauts n'a pas réellement d'importance, murmura-t-il. C'est le quatrième qui doit réussir.

— Alors qui commandera le quatrième ? s'impatienta le Bouleur.

— Moi, fit Blue, simplement.

Je le trouvai gonflé.

— Mon cul ! hurla La Lame.

Marrant se roulait un clope avec l'épais tabac noir que lui avait ramené le Jongleur. Il s'appliquait, un bout de langue tiré dans l'effort. Bulldozer, assis à ses côtés, les coudes appuyés sur les genoux, le regardait faire, fasciné. Y avait sûrement pas un autre type dans cette Cité capable de fabriquer une sèche comme le Marrant. Du cousu main. Cylindriques, idéalement tassées à chaque extrémité, le papier bien lisse, il aurait pu en faire le commerce. Vu la rareté du tabac, il y avait peu de fumeurs dans la Ville, excepté chez les Skins qui, eux, mangeaient, buvaient et fumaient n'importe quoi. Au rythme où ils allaient, ils finiraient par becter de la poussière noire et par en crever. C'était peut-être eux, finalement, les vrais mutants de la Cité...

— T'as l'air soucieux, Marrant ?

Marrant faillit rater le léchage de son papelard gommé.

— Moi ? s'étonna-t-il.

— Ouais, fit Bulldozer. T'as ton ricanement des mauvais jours.

— Des conneries ! grogna Marrant.

Bulldozer haussa les épaules et n'insista pas. Il se replongea dans la contemplation de la coupole, cent mètres plus loin.

— Je me demande quand ils vont sortir de là-dedans ? souffla-t-il.

— Moi, déclara Marrant en craquant une

allumette, ce que j' me demande, c'est ce qui va sortir de là-dedans.

— Si c'est si long, c'est que c'est bon, décida Bulldozer.

— Ah ouais ? fit Marrant, amusé.

Bulldozer grogna et se mit à regarder le Krishie qui passait entre le clan des Skins et les Patineurs, en direction de la coupole.

— Hé ! s'écria Bulldozer. Frime cette lavette ! Il a pas les jetons de venir se balader ici !

Marrant leva les yeux vers le Krishie qui continuait à avancer, le bras droit plaqué contre le corps, insensible aux plaisanteries obscènes des Skins. Le Patineur tira une profonde bouffée de fumée âcre et plissa les yeux.

— Mais où il va comme ça, celui-là ? murmura-t-il, comme s'il se parlait à lui-même.

— Ça fait des mois que je surveille les Néons, se défendit Blue. L'emplacement du quatrième assaut, je le connais par cœur. Je sais chaque blockhaus, chaque pouce de terrain, chacune des inscriptions tracées sur le Mur. SOYEZ VIGILANTS. Bon Dieu, j'en rêve la nuit de cette phrase ! Y a pas un type ici qui connaît mieux que moi cet endroit.

— Rien du tout ! cracha La Lame. C'est le plus ancien qui doit prendre le commandement ! Et le plus ancien, ici, c'est moi.

— Qu'est-ce que t'en sais ? demanda l'un des Skins.

La Lame fronça les sourcils.

— Dis donc, gamin ! Tu vas pas prétendre être plus âgé que moi ?

— Qu'est-ce que t'en sais ? répéta le Skin, obstiné.

De nouveau, la tension montait sous la coupole. Mais j'étais moins inquiet que précédemment, Blue n'étant plus sur la sellette.

Le Bouleur écarta les bras.

— On n'y arrivera jamais comme ça, déclara-t-il. On devrait voter.

La Lame ouvrit des yeux ronds.

— Qu'est-ce que c'est que ça ?

***

A droite, les Skins, à gauche, les Patineurs, plus loin encore, tous les autres, la situation manquait de confort. L'Errant avait la pénible impression d'être au centre d'une arène. Il serrait les dents à s'en briser les molaires pour ne pas céder à la panique. Ça, évidemment, c'était tout autre chose que de flinguer, du haut d'un immeuble, une poignée de mômes ou un isolé. Il marchait sur la langue du loup.

Les Skins le regardaient passer, ricanant et proférant des insanités.

— Hey, Krishie ! Viens me sucer !

L'Errant frimait droit devant lui, halluciné par la porte de la coupole. Il eut une seconde, rien qu'une seconde, envie de découvrir son fusil et de tirer dans le tas. De leur faire avaler leurs insultes. Inconsciemment, fuyant sans doute la virulence verbale des Skins, il avait légèrement dévié de sa trajectoire et se trouva plus près des Patineurs que prévu. Ce clan-là, s'il était plus calme, n'en était pas moins dangereux. La plupart des Patineurs étaient assis sur le trottoir défoncé. Ils discutaient tout en l'observant.

Encore trois pas et il serait passé...

Il entendait l'infernal cliquetis des roulettes qui tournaient dans le vide. D'autres insultes des Skins, encore...

Avance, Errant, tu y es presque ! Déjà, ils sont derrière toi. Ils ne te voient plus que de dos.

Une goutte de sang tiède coula sur sa nuque...

Marrant tira de nouveau une bouffée de tabac noir et s'en bloqua les poumons. Il regardait toujours le Krishie qui approchait à présent de la coupole. Ce Krishie-là l'inquiétait. Quelque chose dans la démarche ou dans... Une anomalie dans le comportement général. D'ailleurs, qu'est-ce qu'il allait faire là-bas, cet idiot ?

— Au fait, Marrant, commença Bulldozer, tu...

— Attends une seconde ! le coupa Marrant.

Le Patineur gloussa nerveusement et se leva.

— Krishie ! hurla-t-il. Viens voir ici !

L'Errant sursauta et accéléra le pas. Rien que dix mètres encore... Les Skins, intrigués, avaient brusquement cessé de se marrer. La coupure du Errant, sur l'arrière de son crâne, là où il avait été moins facile de guider la lame, saignait plus abondamment. Il en sentait la chaleur dégouliner sur son cou, imprégner la robe orange.

— Arrête-toi, Krishie ! s'égosilla Marrant.

Les Skins commencèrent à s'agiter.

Bulldozer roulait des yeux comme des boules de loto, pigeant pas vraiment quelle mouche piquait son pote.

L'Errant grimaça. Echouer si près du but... Il s'élança vers les marches.

— Nom de Dieu ! jura Marrant. Vas-y, Bull ! Fonce !

Bulldozer était sûrement le Patineur le plus impressionnant du clan. Lorsqu'il lançait sur roulettes son imposante masse de muscles et de graisse, rien ni personne ne pouvait l'arrêter. Il traversa, véritable bombe humaine, l'esplanade et fondit sur l'Errant. La scène était projetée au ralenti. Marrant s'était mis à ruisseler comme une éponge gorgée d'eau. Un cauchemar. Il vit le pseudo-Krishie soulever sa robe et sortir un fusil à décorner un rhinocéros, épauler calmement.

— Bull !

Une secousse lumineuse, suivie d'un choc sourd qui se répercuta en ondes poisseuses autour des ruines. Puis Bulldozer, lancé à fond de train, qui se perdait dans ses allures. Il tricotait, le Patineur, ivre de vitesse et de douleur. Personne n'aurait pu jurer que ses patins touchaient encore le sol.

L'Errant écarquilla les yeux, surpris, et tira une seconde fois, sans viser. Les plombs explosèrent, s'éparpillèrent, brûlants, dans l'abdomen de Bulldozer. Ça lui fit, juste avant de mourir, l'impression qu'il venait d'avaler de la viande pourrie et qu'il allait pas tarder à gerber. Son cadavre déchiqueté percuta l'Errant de plein fouet.

L'Errant sentit une des pointes acérées d'un des patins lui déchirer la joue. Il ignorait si le sang qui éclaboussait les premières marches de l'escalier était le sien ou celui du Patineur. Il n'avait qu'une idée en tête, reprendre son fusil qui lui avait échappé des mains et se relever...

Le premier coup de feu éclata comme le tonnerre sous la coupole alors que le Bouleur tentait d'expliquer à La Lame ce que signifiait voter. Les hommes étaient pétrifiés, comme figés dans une coulée de lave. Seuls leurs regards vivaient, glissaient rapidement sur les autres chefs de clans, lourds de soupçons, jaugeant déjà, peut-être, la valeur de l'adversaire.

Le second coup de feu, curieusement, libéra tout le monde. Ce fut une ruée générale vers la porte. Seul le Saignant Rubis et moi-même restâmes immobiles, tellement persuadés que, de toute façon, cette réunion ne pouvait s'achever que comme ça, en boucherie générale.

— Bordel de merde ! jura La Lame dont j'avais pu mesurer, en quelques secondes, les étonnants réflexes de combattant. Où est cette putain de clef ?

Je frimais la bousculade, sans bouger d'un pouce.

L'Errant, coincé sous le corps de Bulldozer, tarda à se dégager, s'empêtrant dans les pans de sa robe. Il sentait une torpeur étrange l'envahir, comme une envie de rester allongé là, en bas des marches, et s'endormir. Tout tournait autour de lui, la coupole et les combattants des divers clans qui marchaient sur lui d'un même mouvement. En un éclair de lucidité, il comprit qu'il avait échoué, que son geste, au lieu de diviser, allait rapprocher tous ces hommes, sceller définitivement leur accord. Il empoigna rageusement sa dague.

Marrant posa son patin sur le fusil de l'Errant. A ses côtés, tout contre lui, un Youve sortit tranquillement de son holster un 9 mm Parabellum et visa la tête de l'Errant qui, devenu complètement fou, fouettait l'air de son poignard.

*
**

Je ne sais pas si la mort de Bulldozer y fut pour quelque chose, mais Blue fut élu.

Mèche Bleue commanderait la quatrième attaque contre les Néons. Et La Lame venait d'apprendre qu'un chef pouvait être désigné sans qu'il soit obligé de flinguer ses concurrents. La découverte le rendait songeur.

CHAPITRE IX

La répartition en quatre troupes des Patineurs combattants s'effectua sans aucun problème. Il existait des groupes déjà formés, par affinités diverses, à l'intérieur même du clan et Blue les respecta scrupuleusement, s'attachant à faire grimper crescendo l'enthousiasme de ses hommes, sans jamais leur laisser le temps de gamberger sur l'utilité réelle des trois premiers assauts. Chacun ici pensait qu'il allait vraiment tenter sa chance. Personne ne soupçonnait que Blue avait décidé de sacrifier plus des trois quarts d'entre eux. Ou s'ils y songeaient, parfois, ils se gardaient bien de faire partager leur inquiétude. J'en concevais une certaine amertume.

Je faisais pourtant partie du quatrième groupe, mais je savais que Blue ne m'avait pas gardé avec lui pour ma seule valeur de combattant. Je n'avais pas la réputation d'une épée. Je me trouvais là parce que j'avais parfaitement connaissance du machiavélisme de Blue et qu'il craignait probablement que je ne parle. En fait, je compris plus tard que c'était faux. S'il n'y avait eu que cette unique raison, Blue ne se serait pas embarrassé de moi. Il m'aurait simplement tué. Je me sentais de plus en plus dans la peau d'un pion sur l'échiquier de Blue. Ou plutôt d'un officier qu'il conservait à ses côtés, lui, le roi, en vue d'une manœuvre ultérieure. Je devais sûrement lui être utile, mais je ne voyais vraiment pas à quoi. Ses pions, ses soldats, il s'apprêtait à les envoyer au charbon.

Chaque jour qui passait me découvrait davantage de la véritable personnalité de Blue, et chaque jour je le haïssais un peu plus. Je devinais que le Mur n'était qu'un prétexte pour lui. Ce qu'il voulait, par-dessus tout, c'était le pouvoir absolu, même s'il fallait passer pour cela. Je sentais tout son mépris à notre égard, nous les Patineurs qui n'étions pas capables de lui conquérir ce pouvoir dont il rêvait. Sa soif était inextinguible. Etre chef d'un quartier ne lui suffisait plus — et depuis combien d'années déjà ? — et il nous traînait derrière lui comme un boulet. Tous les éléments du puzzle s'emboîtaient, formant peu à peu une image que je ne soupçonnais pas. Blue avait longuement étudié l'histoire de la domination musule. Il était fasciné par cette époque de la Cité. Il avait cherché les raisons de la décadence, de la chute, dont l'attaque sanglante contre les Néons n'avait été en fait que le point final. Mais là où les Musuls avaient perdu le pouvoir, il entendait bien, lui, le reconquérir.

Je me souvenais à présent l'avoir entendu

délirer, un soir de grande bouffe arrosée par un stock d'alcool découvert par le Jongleur, prétendre à haute voix dans son ivresse qu'il était le successeur du roi Kadji et de la reine Soliane, les anciens souverains musuls. Tout le monde se marrait. On ne savait pas encore combien il était sérieux à ce moment-là. Et n'avait-il pas poussé sa folie mégalomane, son identification à un peuple jadis dominateur, jusqu'à vivre avec Hajine? Hajine la Métisse. Je songeais également au Jongleur. Décapité d'un coup de hache. Pion devenu trop encombrant.

Je me demandais si La Lame, l'arrogant La Lame, si le méfiant et laid Bouleur, si les Youves, froids et distants, si le Skin en tenue dorée qui savait lorsqu'il le fallait faire preuve de sérieux et de cruauté, si tous ces monstres nourrissaient de semblables ambitions pathologiques. Ils étaient là, tous, dans mon rêve agité, comme un atroce nœud de vipères, enroulées dans leur nid de poussière noire, prêts à jaillir et à mordre...

Je me tournais et me retournais sur la laine épaisse. Starlette grognait. Le sommeil me fuyait. Je devais dormir. Absolument. Demain serait le dernier jour des préparatifs. Demain, la Cité serait pleine du bruit des couteaux qu'on aiguise, des lames qu'on affûte, des fusils qu'on charge, des explosifs qu'on prépare, des échelles qu'on tresse, du bruit de la peur, du fracas de la guerre qui s'avance.

*
**

Hajine n'avait jamais eu autant de facilité pour rejoindre son point de rendez-vous. Tous les combattants de chaque clan, épuisés par l'entraînement intensif de ces derniers jours, avaient écourté leurs fêtes quotidiennes. Rarement un tel calme, un tel silence, pas même troublé par les échos d'une rixe lointaine, n'avait régné sur la Cité. Cette torpeur nocturne mettait Hajine mal à l'aise. Elle se hâtait à présent, prenant moins de précautions qu'au cours des trajets précédents. Elle n'était pas habituée au silence. Elle le ressentait plus menaçant encore que la proximité d'un clan ennemi. Chaque muraille, chaque façade d'immeuble qu'elle frôlait lui faisait l'effet des mâchoires d'un piège dans lequel elle s'enfonçait. Elle se mit à rire toute seule, d'un rire aigu et bref. De tous temps, le rire a toujours été la seule arme de l'homme contre l'angoisse et l'obscurité.

Son angoisse de la Cité assoupie se doublait d'une autre frayeur encore. Elle allait revoir Kajum et enfin savoir. Venait-il pour elle ou pour les renseignements qu'elle lui donnait ? Elle souhaita que ce fût un peu pour les deux. Kajum l'aimait si bien et si fort. A la perspective de l'étreinte, Hajine patina plus vite et entama le dernier virage du circuit périphérique.

Kajum l'avait prévenue. Il s'agissait là de leur dernier rendez-vous clandestin. Ensuite, lorsque les Musuls auraient repris leur place dans la

Cité, Kajum viendrait la chercher. Il n'y avait que le temps d'une guerre à attendre. Malgré les promesses du Musul, elle redoutait le moment où elle lui remettrait l'ultime renseignement : « L'attaque aura lieu après-demain, dès le lever du jour. » Elle aurait perdu alors sa dernière monnaie d'échange. Jeté sa dernière carte sur la table sans connaître encore celle que Kajum tenait entre ses doigts.

Elle frissonna, partagée entre le désir et la peur.

Elle quitta le circuit et s'engagea dans la ruelle encombrée de ruines du no man's land. Elle avait encore la cheville légèrement enflée, maintenue par une large bande de cuir souple, et elle regarda au passage la plaque d'acier sur laquelle elle avait trébuché. Curieusement, la douleur sourde qu'elle ressentait parfois en poussant la roulette était plutôt un bon souvenir. Son entorse lui rappelait le secret qu'elle partageait avec Kajum et, tard dans la nuit, lorsqu'elle se massait doucement l'articulation meurtrie, le décor se mettait en place dans ses rêves. La ruelle frontière aux ombres plus noires que la nuit, le bâtiment penché avec sa vitrine intacte, l'immense hall avec sa moquette de poussière, l'escalator aux marches manquantes et, tout en haut, la silhouette de Kajum qui l'attendait. Pas un soir elle ne s'était endormie sans ce décor planté dans les songes. Elle s'y déplaçait, sous les vivats d'un peuple enfin heureux, au bras de Kajum. Kajum la regardait, lui souriait, la prenait dans ses bras...

Elle était tout près de lui maintenant. C'est comme si, déjà, elle sentait son odeur. Et elle fit les mêmes gestes que dans ses rêves. Elle contourna la haute vitrine et esquissa un signe d'amitié aux graffiti obscènes qui la constellaient, se dirigea rapidement vers l'escalier mécanique, posa une main sur la rampe de caoutchouc et regarda vers le haut.

Tout y était. La silhouette aussi.

Sauf que c'était pas celle de Kajum.

C'était Marrant.

Le Saignant nommé Rubis quitta son abri, un pan de blockhaus au sommet légèrement arrondi soutenu par deux poutrelles d'acier rouillé. Il ferma son blouson, lentement, avec des gestes mesurés. Il regarda longuement le Mur.

VIGILANCE
FIDÉLITÉ

Il fit quelques pas vers les rangées de fils barbelés et s'arrêta de nouveau.

Le Néon s'était retourné, sa lance braquée vers le Saignant, inclinant doucement sa tête recouverte d'un crâne de gauche à droite, comme s'il cherchait à voir — ou à faire voir — combien d'autres ennemis accompagnaient Rubis. Mais Rubis était seul.

Une vingtaine de mètres séparaient les deux hommes. Rubis n'avait pas souvenir de s'être approché si près d'un Néon. Il observa son faciès d'australopithèque, son front fuyant dont la voûte très inclinée était à demi masquée par la mâchoire du crâne, ses yeux noirs aux sourcils broussailleux, le cou puissant et noueux planté entre les épaules comme le tronc d'un baobab, la marque de guerre rouge et bleue qui lui balafrait la joue...

Rubis prit une profonde inspiration. Il sentit le goût âcre de la poussière noire lui envahir la gorge. Il jeta un dernier coup d'œil vers le sommet du Mur, là-haut, si loin et si proche à la fois, mais qu'il n'atteindrait jamais puisque La Lame, son chef, pour solde de tout compte, lui avait confié la responsabilité du second groupe d'assaut.

Il avança d'un pas.

Le rayon bicolore fusa de la lance du Néon et frappa Rubis en pleine poitrine. L'univers du Saignant explosa.

Ça ressemblait à s'y méprendre à un suicide. Mais personne ne le saurait jamais. Excepté le Néon, peut-être...

— Monte ! ordonna Marrant.

Hajine se cramponnait à la rampe, vacillante. Endurcie comme tous les autres habitants de la Cité, elle n'avait jamais éprouvé de réelles terreurs et ne s'était évanouie qu'une fois, à l'aube d'une nuit de grande bouffe, après avoir gerbé pendant plusieurs heures liquides frelatés et victuailles faisandées. Elle ressentait, au bas de cet escalier, à nouveau les mêmes impressions. Un peu comme si elle s'enfonçait dans un océan de coton, lentement et inéluctablement. S'agiter ne servait à rien d'autre que de précipiter le tourbillon. Un de ses patins ripa sur la première marche et elle trébucha, se meurtrissant cruellement le genou sur une arête métallique.

— Qu'est-ce que t'attends ? s'impatienta Marrant. Arrive ici !

— J' peux pas ! gémit Hajine.

Elle se mit à vomir, un jet de bile translucide. Douloureuse contraction. Les spasmes la secouèrent et elle se laissa aller sur les marches, une main toujours accrochée à la rampe. Elle entendit Marrant qui jurait. Elle lâcha la rampe, ses ongles lacérant le caoutchouc, et s'effondra dans la poussière.

Marrant gloussa, se gratta la tête et se retourna.

— Elle est tombée dans les pommes, déclara-t-il.

— Amène-la ici, fit Blue en sortant de l'ombre. Je veux qu'elle le voie.

Il désigna de l'index le corps du Musul Kajum, statufié dans la mort, adossé au mur, les yeux pleins d'effroi fixant dans l'éternité la mèche bleue de son bourreau, les mains crispées autour du manche de la hache qu'il avait plantée dans le ventre.

Marrant, trouvant sans doute la chose farce, descendit l'escalier en ricanant.

— Hey ! gueula-t-il à mi-chemin. Comment j' fais pour la réveiller ?

— Pisse dessus, grogna Blue qui continuait à regarder le cadavre du Musul.

Il y avait quelque chose qui l'impressionnait chez Kajum. Même mort. Quelque chose que les Musuls avaient, qu'il ne savait pas reconnaître et qu'il détestait. Il cracha sur le cadavre.

Hajine ouvrit les yeux. Elle regarda autour d'elle, effarée, comme si elle ne se souvenait plus de ce qui s'était passé. Elle vit Marrant, d'abord, qui se frimait les patins, l'air gêné. Puis Blue, à moitié dans l'ombre, les bras croisés. De nouveau la panique qui coulait dans ses veines, lui tétanisant les muscles. Il y avait quelqu'un d'autre, à côté de Blue, contre le mur.

Elle fronça les sourcils et poussa une plainte de bête agonisante.

— Kajum !

Devant cette souffrance qu'il devinait intense, Blue se mit à sourire.

Elle voyait mieux à présent. Les détails, la hache de Blue plantée dans l'abdomen de Kajum, son regard épouvanté. Elle entendait le bruit atroce de la lame percutant le ventre de son amant, comme un coup de poing dans un sac de farine. Plus elle voyait, plus elle imaginait et plus elle gémissait. Et plus elle gémissait, plus Marrant se marrait.

— Arrête ça, Marrant ! grogna Blue.

Il s'approcha d'Hajine et, l'empoignant par les cheveux, l'obligea à se mettre à genoux.

— Alors, Hajine ? On se fait sauter par les Musuls ?

Marrant se remit à rire. Blue se pencha et approcha son visage tout près de celui d'Hajine.

— Et en échange de quoi il te fourrait, ce porc ? hurla-t-il.

— De renseignements, souffla-t-elle.

Elle n'avait pas l'intention de dissimuler quoi que ce soit. Elle n'avait plus aucune raison pour le faire. Les deux Patineurs le savaient d'ailleurs fort bien, eux qui n'avaient même pas pris la peine d'interroger Kajum.

— Quels renseignements ? cracha Blue.

— Ils voulaient connaître la date de l'attaque contre les Néons.

Blue hocha doucement la tête.

— C'est tout ?

— Oui.

Il se releva et s'épousseta d'un revers de main. Il revint vers Kajum, prit l'extrémité du manche, posa un pied sur le corps déjà raidissant et récupéra sa hache. Sans essuyer la lame, il la remit à sa ceinture.

— Eh bien, Hajine, déclara-t-il, puisque cette ordure n'est plus en état de faire la commission, tu vas y aller toi-même.

Marrant sursauta et émit un curieux bruit. Il pigeait mal les intentions de Blue.

Hajine, qui croyait mourir lorsque Blue avait récupéré son arme, ne comprenait pas davantage. Elle ne bougeait pas, cherchant où se trouvait le piège.

Blue avança et posa son patin sur la main d'Hajine. Elle poussa un cri de douleur et se mordit les lèvres jusqu'au sang.

— Allez ! ordonna Blue, sèchement. Tire-toi !

Elle se releva, grimaçante, surprise à la fois par la curieuse décision de Blue et par sa propre faiblesse. Elle vacillait, encore étourdie, persuadée qu'elle n'avait plus suffisamment de forces pour pousser la roulette. Elle regarda Blue.

— Si tu as l'intention de t'offrir une partie de chasse intime à mes dépens, fit-elle sans ciller, je préfère que tu me tues tout de suite.

Blue gloussa.

— Insolente, en plus !

Il reprit aussitôt son sérieux. Sa hache fendit l'air à quelques centimètres du visage d'Hajine.

— Casse-toi ! hurla-t-il. Ou j' te décapite !

Hajine dévala l'escalator. Elle traversa le hall, s'écroulant à deux reprises dans la poussière, manqua de percuter la vitrine intacte et déboula dans la ruelle du no man's land. Instinctivement, elle fit quelques mètres vers le quartier des Patineurs, s'arrêta brusquement, rebroussa chemin et fonça en direction du territoire musul.

Dans le bâtiment penché, Marrant se frottait les mains.

— On lui laisse combien de temps ? demanda-t-il.

— Toute la vie, répondit Blue. Et c'est pas lourd.

Elle avait les poignets liés derrière le dos. Un des roulements de son patin gauche s'était brisé durant sa course et sa cheville tordue lui faisait de nouveau mal. La douleur irradiait dans toute sa jambe, comme un fer porté au rouge. Elle était sale, malade, rompue, ses vêtements portaient des coulées de vomissements, mais elle était arrivée là où elle voulait aller. Elle avait patiné jusqu'à la limite de ses forces, croyant Blue et Marrant sur ses talons. Elle ne savait plus exactement comment, mais elle y était parvenue. Jed le Musul se tenait à côté d'elle. Il lui avait brutalement attaché les mains et la maintenait par une corde.

Devant eux, la reine Soliane, vêtue d'un fourreau noir, était allongée au milieu des coussins. Elle avait écouté, pendant plus d'un quart d'heure, les explications d'Hajine et c'est à peine si elle tressaillit en apprenant la mort de Kajum. Jed remarqua seulement qu'elle s'était légèrement crispée.

Hajine cessa de parler. Elle se sentait vidée, libérée, toute prête à s'endormir comme le coureur de Marathon, sans savoir si, un jour, elle pourrait de nouveau ouvrir les yeux. Une seule chose comptait désormais, elle avait vengé Kajum.

Soliane passa sa langue sur ses lèvres carminées.

— Alors, ils vont attaquer le Mur après-demain, au lever du jour ?

Hajine hocha la tête.

— Et Blue t'a laissée partir pour venir me raconter ça ? continua Soliane.

Hajine, épuisée, sentit confusément poindre la menace, mais elle n'y prêta guère attention. Il lui semblait normal, même si elle eût préféré un accueil moins brutal, qu'ils se montrent méfiants. Elle était, après tout, du clan des Patineurs.

— J'ai cru qu'ils allaient me poursuivre, répondit-elle. Blue organise parfois ce genre de chasse lorsque les Patineurs font un prisonnier.

Soliane souriait, à présent.

— Mais ils ne t'ont pas poursuivie, n'est-ce pas ?

— Je ne sais pas, murmura Hajine.

Il lui avait semblé, pourtant, durant tout son chemin de croix sentir leur souffle de chasseur, juste derrière, tout près. Dans chaque coin d'ombre se dissimulait Blue, ou Marrant...

— Voyons, reprit doucement Soliane, alanguie comme une chatte sur un sofa. Est-ce que le gibier s'en sort parfois dans... dans ces parties de chasse ?

Hajine grimaça.

— Jamais..., souffla-t-elle.

— Donc, si Blue était derrière toi, il ne te poursuivait pas, il te suivait !

Elle se tourna vers Jed.

— Je veux que toutes les gardes soient renforcées à partir de ce soir.

Le vieux Musul hocha la tête. Même sans la confirmation de la reine, il aurait donné cet ordre. Il en voulait à Soliane de ne l'avoir pas averti de la mission de Kajum. Blue les avait manipulés, exactement comme il l'avait voulu, donnant probablement de faux renseignements à Hajine qui les transmettait. Soliane était responsable de cette faute. Elle n'allait sûrement pas le pardonner à la Patineuse.

— Jed ?

Le Musul sursauta, rectifiant instinctivement sa position.

— Oui, Soliane ?

— Est-ce qu'on peut accorder le moindre crédit à ce dernier renseignement ?

Jed secoua la tête.

— Aucun. Ni à celui-là, ni aux précédents.

Il désigna Hajine, méprisant.

— Ils ne l'auraient pas laissée s'enfuir, sinon. Je vais faire retirer de la carte tous les renseignements transmis par Kajum.

Hajine voulut protester. Elle était persuadée que Blue n'était pas au courant de leurs rendez-vous, que tous les renseignements, y compris le dernier, la date de l'assaut contre les Néons, étaient vrais et qu'elle n'avait à se reprocher qu'une seule et unique chose : de ne s'être pas suffisamment méfiée de Marrant après l'avoir rencontré au bout de la ruelle du no man's land. Elle ouvrit la bouche pour s'expliquer. Soliane, qui s'était levée, s'était approchée d'elle et lui planta ses ongles dans la joue. Hajine poussa un cri aigu. La reine, souriante, maintenait sa prise.

— Dis-moi, Hajine ? Est-ce que Kajum te faisait bien l'amour ?

Jed détourna la tête. Il devinait à présent le dénouement de cette conversation. La haine de Soliane pour Hajine, fouettée par la jalousie, ne connaissait plus de bornes.

— Je ne...

— Je te demande si Kajum faisait bien l'amour ? hurla Soliane en retroussant les lèvres.

Elle crachait comme un félin en colère. Hajine voulut reculer, mais Jed l'en empêcha.

— Réponds !

Hajine sentit le sang qui coulait sur sa joue. Lentement, inéluctablement, Soliane lui déchirait le visage.

— Oui...

C'était un souffle, ténu comme un soupir de nourrisson endormi.

— Je veux te l'entendre dire ! insista Soliane.

Hajine se taisait.

Soliane enfonça ses ongles un peu plus profondément, tirant vers la mâchoire inférieure.

— Oui ! Oui ! Oui ! s'emporta Hajine, épouvantée. Kajum me faisait bien l'amour !

Soliane retira sa main, se remit à sourire et repartit s'allonger parmi les coussins. Elle piocha un cube de viande séchée dans une coupe d'or et commença à le sucer du bout des lèvres.

Hajine sanglotait.

— Puisque tu aimes la façon dont les Musuls font l'amour, fit Soliane en prenant délicatement un nouveau cube, je vais t'offrir la récompense que tu mérites.

Elle regarda Jed.

— Je veux que tous les combattants musuls, tous, sans exception, baisent cette espionne !

Elle ajouta, comme si Jed n'avait pas déjà compris :

— Jusqu'à ce qu'elle en crève.

Hajine se mit à hurler. Un cri atroce, haut dans l'aigu, difficilement soutenable. Jed la tira dehors et referma la porte.

— Ingrate, souffla Soliane en avalant un troisième cube.

Une goutte d'huile perla sur son menton.

CHAPITRE X

La tension était à son comble. La Lame, à califourchon sur la rambarde de l'esplanade du Trocade, discutait avec Blue. Je les regardais de loin, entendant leurs éclats de rire. Si ça continuait comme ça, ces deux-là, ils allaient devenir inséparables. Un monde ! Cette image de La Lame tranquillement installé au beau milieu de notre territoire, je ne l'avais imaginée que dans les pires de mes cauchemars. J'étais bien loin de penser qu'il pourrait, ce chien de paille, venir ici dans d'autres buts que celui de nous détruire, hommes, femmes et enfants. Je n'étais d'ailleurs pas convaincu qu'il en ait complètement abandonné l'idée. Un Saignant restait un Saignant. Et le vautour n'est pas un symbole de paix.

Je n'avais pas renoncé à mon projet de tuer La Lame. Je l'avais simplement différé. Un jour viendrait, sûrement très proche, où nous nous retrouverions face à face, et pas dans une zone neutre, pas sous une coupole krishie. Je me prenais à rêver que l'Errant qui avait tenté de saboter la réunion n'ait pas échoué, et que, dans la confusion générale qui s'en serait forcément suivie, j'assassinais le meurtrier de ma mère. La Lame m'avait repéré, je n'en doutais pas un seul instant. Il me balançait fréquemment des regards furtifs où je jubilais de lire une certaine inquiétude. Je le soupçonnais d'avoir demandé des renseignements à Blue sur mon compte. Ils s'étaient ensemble tournés vers moi, exactement comme si j'étais leur sujet de conversation, puis Blue avait répondu quelque chose que je n'avais pas entendu mais qui sembla satisfaire le Saignant. Ils s'étaient de nouveau marrés, après ça, et La Lame avait filé une bourrade amicale sur l'épaule du Patineur. Copains comme cochons ! Je les haïssais. Presque aussi intensément l'un que l'autre.

En bas, sur le circuit périphérique, les troupes de choc des Patineurs, en grande tenue de combat, s'exerçaient à pousser la roulette en cadence, par largeurs de dix hommes au coude à coude et sur une file sinueuse dont je n'apercevais pas l'extrémité. Les combattants poussaient à chaque pas des grondements sourds de phoques en rut. Démonstration de puissance très efficace. Blue, les bras croisés sur sa poitrine, sa mèche ramenée en arrière, regardait ses hommes. La Lame paraissait assez impressionné. Il y avait de quoi. La machine de guerre des Patineurs faisait trembler les ruines de la Cité. Un lourd nuage de poussière noire évoluait en tourbillons à une vingtaine de mètres au-dessus du sol de notre territoire.

Cette envolée de crasse, soulevée par les mouvements de troupes, obscurcissait les artères de la Ville.

J'observais ce crépuscule prématuré comme un mauvais présage, le signe aérien de notre anéantissement. Cela faisait maintenant deux nuits que je rêvais, lorsque je parvenais à trouver le sommeil, que nous ne pouvions rien trouver d'autre que la Mort derrière ce Mur. Les crânes que portaient les Néons sur leur tête n'en étaient-ils pas l'indication ? Je dormais par à-coups, jamais plus de deux heures, et je me réveillais, épouvanté, lorsque l'hideuse face lunaire de la Grande Faucheuse m'apparaissait, toute proche, comme pour offrir son baiser de glace.

Starlette avait cessé de se plaindre de mes insomnies. J'avais l'impression qu'elle comprenait, qu'elle partageait mes effrois, bien que nous ne parlions pratiquement plus. Elle se contentait de m'observer, silencieuse, et de poser sa main sur moi, rassurante, lorsque je tremblais sur ma couche de laine. Je retrouvais en elle toute la douceur de ma mère et de Champagne, celle qui lui succéda. J'étais dévoré par les remords. Qu'avais-je offert à Starlette ? Sinon le triste spectacle d'un combattant qui doute...

La Lame était venu régler les derniers détails de l'opération et vérifier la livraison d'explosifs et d'armes lourdes qu'avaient effectuée les Youves le matin même pour la quatrième colonne d'assaut. Blue n'avait pas masqué sa déception. Le stock d'armes apporté par les Youves s'avéra bien moins important que prévu. Ils affirmèrent avoir partagé l'intégralité de leur artillerie entre les quatre troupes et réservé la plus grande puissance de feu à l'hétéroclite division menée par Blue. Ils prétendirent n'avoir rien conservé dans leur territoire. Nous les soupçonnions du contraire. De tous les clans concernés par l'assaut, les Youves demeuraient indéniablement les plus réservés. S'ils étaient enthousiastes, ils ne le montraient guère. Blue était persuadé qu'ils assuraient leurs arrières et n'avaient confié, au mieux, que la moitié de leur stock. Il n'était, de toute façon, ni en mesure de le prouver, ni en position de réclamer des comptes. L'entente restait précaire et peu de chose aurait suffi à faire basculer la Cité dans une nouvelle guerre civile. Ce mariage était nettement contre nature et l'amitié qui semblait naître entre La Lame et Blue me paraissait monstrueuse. Nous formions l'armée la plus folle, la plus effrayante que l'Histoire ait jamais connue.

Je cessai de regarder les deux chefs de clan et m'éloignai, la roulette morose.

La Lame jeta un coup d'œil vers Tout Gris qui s'en allait. Il cracha sur le sol un molard strié de sang et s'essuya les lèvres d'un revers de main.

— J'ai dû remplacer Rubis à la tête du deuxième groupe d'assaut, déclara-t-il.

Blue haussa les sourcils.

— Pourquoi ça ?

— Parce qu'il a disparu. Tout simplement. Dommage... Rubis était un bon élément. Ton Patineur, celui qui avait volé la blindée, en savait quelque chose.

Le souvenir du Jongleur ne sembla pas faire plaisir à Blue. Son visage s'assombrit. Il observa un instant le nuage de poussière qui tournoyait toujours au-dessus d'eux.

— Il faut, grogna-t-il, que les trois premières divisions se battent le plus longtemps possible. Jusqu'au dernier homme, jusqu'au dernier souffle. C'est la condition de notre réussite.

La Lame gloussa.

— C'te bonne paire ! Evidemment qu'ils vont combattre ! Pourquoi tu m' racontes ça ?

— Parce que j'ai l'impression qu'au fur et à mesure que nous approchons de l'heure de l'attaque, beaucoup d'hommes gambergent. Je sens leur hésitation, leur peur aussi. Et ils se donnent des prétextes pour justifier ce recul. Ils se demandent pourquoi tous les chefs de clans sont réunis dans le même groupe...

— Tu voudrais tout de même pas que j'aille commander une armée qui part à l'abattoir ! s'insurgea La Lame. C'est toi qui as eu l'idée de séparer les assauts ! Moi, je continue à croire qu'une attaque massive aurait été plus efficace. Et nous n'aurions pas maintenant à nous inquiéter du moral de nos troupes ! J' vais te dire ce que je pense, Blue. Rubis, en apprenant qu'il était affecté à une autre armée que la mienne, il a fait une drôle de trombine. A mon avis, ou il se planque quelque part dans un souterrain, ou il s'est flingué. Et Rubis, c'est pas du tout le genre taupe. Tu vois, Mèche Bleue, avec ta tactique à la con pour désorganiser les Néons, c'est nous que t'es en train de foutre en l'air. Demain matin, c'est l'armée du désespoir qui va s'écraser contre ce Mur. Pas celle de l'espoir...

VIGILANCE

Le Bouleur circulait parmi les rangs, les mains réunies derrière le dos.

— Et n'oubliez pas, recommanda-t-il, de passer vos plaques frontales au noir de fumée. J'en vois qui se les ont briquées. Ça fera de jolies cibles étincelantes pour les Néons.

Quelques gloussements.

Le Bouleur sortit des alignements de combattants et se planta devant son armée. Chacune des quatre divisions formait triangle.

— Un Errant a détruit notre livraison de viande fraîche. Je sais que ce n'est pas facile. Alors, dites-vous, ce soir, en allant vous pieuter, que derrière ce foutu Mur, il y a des tonnes de barbaque et pas une seule mouche pour venir chier dessus. Messieurs, je vous remercie.

Des hourras enthousiastes saluèrent le départ du chef.

Les hommes commencèrent à se disperser, rompant les rangs en un aimable désordre, commentant par groupes le discours guerrier qu'ils venaient d'entendre.

L'un d'eux, Cork, un jeune Bouleur à la greffe encore tendre, à la plaque aussi lisse qu'une peau de bébé, s'écarta et prit son ami par le bras.

— T'as deux secondes, Reno ? Je voudrais te parler.

Reno, s'il était quelque peu surpris, n'en montra rien. Il était de dix ans plus âgé que Cork. Comme il était de coutume chez les Bouleurs, Cork, lorsqu'il fut physiquement en état de recevoir l'implant métallique qui ferait de lui un combattant, fut retiré à sa mère et confié à un éducateur, chargé, entre autres choses, de lui apprendre à se servir de son front d'acier. Il était rare qu'une amitié solide ne naisse pas entre le maître et l'élève. Reno était un guerrier moyen, plutôt petit et trapu. Il était d'un courage inébranlable, mais dans la Cité, ce n'était plus une qualité. Seulement une condition de survie. Cork, en revanche, était bâti en force. Il était passé au travers des multiples disettes, conséquence régulière des innombrables guérillas. Cork devint rapidement un combattant de grande valeur, alignant les victimes comme d'autres collectionnent les timbres. Reno n'en prit jamais ombrage. Il semblait, tout au contraire, ravi et fier du succès de son poulain. Reno avait fabriqué Cork. Cork devait tout à Reno. Jusqu'au jour où Cork, à son tour, prendrait en charge l'éducation d'un jeune Bouleur à la plaque toute fraîche. Cette méthode pédagogique de guerre fonctionnait simplement et personne ne songeait à la contester.

Excepté Cork, ce soir-là...

Il entraîna son ami à l'écart. Lorsqu'il fut tout à fait certain que plus personne ne pouvait l'entendre, il s'arrêta.

— Qu'est-ce qui te prend ? s'inquiéta Reno.

Cork lui serra davantage le bras, ses doigts s'enfonçant dans le biceps de Reno comme des mâchoires d'acier. Reno réprima une grimace de douleur.

— Il faut que tu viennes avec moi, fit Cork, d'une voix curieusement plaintive.

Reno, agacé, chercha à se dégager.

— Ecoute, Cork, c'est vraiment pas le moment. Nous devons aller nous reposer.

Cork secoua la tête, buté.

— Non ! Tu vas venir avec moi.

Reno renonça à faire lâcher prise à son élève. Puis il tentait de reculer et plus l'autre serrait. D'autre part, l'attitude étrange de Cork l'intriguait.

— Qu'est-ce que tu veux, à la fin ? s'impatienta Reno.

— J'ai une bonne planque dans une ruelle du no man's land, expliqua précipitamment Cork. On va y aller tous les deux. J'y ai stocké de quoi becter et boire pendant plusieurs jours. On s'ra peinards.

Reno écarquilla les yeux. L'instant de stupéfaction passé, l'expression d'une immense déception se peignit sur ses traits.

— Lâche-moi ! grogna-t-il sourdement.

Cork ne lâchait pas.

— Lâche-moi ! répéta Reno en s'approchant. Ou j' te fais sauter ta jolie gueule !

Cork était bien plus fort que Reno, mais il le libéra et recula d'un pas. Reno massa du plat de la main son muscle engourdi. Il fixait Cork, méprisant.

— Quand je pense, gronda-t-il, que tu ne parlais que de passer ! Tout le temps, jour après jour, jusqu'à m'en faire vomir, tu causais du Mur ! Fumier ! Ordure ! Combien de fois tu m'as répété que t'espérais que les Bouleurs deviennent assez puissants pour s'attaquer aux Néons ? Tu faisais des plans, tu m' racontais les merveilles qu'on allait trouver derrière. Et j' t'écoutais ! Tu m'as vraiment pris pour un con, hein ! Parole, t'as du jus de navet dans les veines ! A la veille de réaliser ton rêve, tu t' dégonfles ! J'aurais dû m'en gaffer. Ceux qui causent trop ne font jamais rien. Allez ! Casse-toi, enfoiré ! Va t'enterrer dans ton trou à rats et oublie-moi.

Cork secouait la tête, anéanti par la tirade haineuse de son ami.

— Mais t'as rien compris..., murmura-t-il.

— J'ai compris que t'étais un lâche ! cracha Reno. Ça me suffit. Merci et bonjour aux taupes !

— Laisse-moi t'expliquer ! supplia Cork en s'approchant.

— Des clous ! s'écria Reno en se reculant vivement. J'en ai assez entendu.

— Reno...

Reno tourna les talons et s'éloigna rapidement, sans un regard derrière lui. Un abîme de tristesse venait de gommer dix ans de son existence. Le choc s'encaissait pas sur une jambe. Il mit de l'espace entre Cork et lui. Un maximum d'espace. Un infini d'incompréhension.

Cork, quant à lui, s'adossa au mur, s'accroupit et se prit la tête entre les mains. Rien ne s'était passé comme il l'aurait voulu. Il avait prévu d'emmener Reno dans la planque qu'il avait aménagée la veille et là, il lui aurait expliqué pour quelles raisons il fallait qu'ils restent cachés. Reno faisait partie du second groupe d'assaut, Cork, meilleur combattant, du quatrième. La vérité sautait aux yeux. On envoyait les trois premières armées au casse-pipes, à la boucherie. On les sacrifiait pour la réussite du quatrième groupe dans lequel tous les chefs de clans se trouvaient réunis. N'importe qui pouvait piger ça. N'importe qui, sauf Reno. Reno qui n'avait rien compris, qui n'avait pas voulu entendre que c'était sa vie, à lui, que Cork voulait sauver.

LE MUR EST NOTRE DROIT
LE DÉFENDRE NOTRE DEVOIR

*
**

A ma demande, Marrant m'avait roulé trois clopes d'avance. Je les grillai, l'une après l'autre, allongé sur ma couche de laine. Le tabac noir, qui prenait une curieuse consistance gluante en se consumant, m'arrachait la gorge et m'enflammait les poumons. Je toussais, je crachais et je pompais comme un fou. Chaque bouffée était une aiguille chauffée à blanc que je m'enfonçais dans la poitrine. A la troisième sèche, ne fumant d'ordinaire jamais, je commençais à être sérieusement ensuqué. Les idées cotonneuses et la lippe molasse. Avec la fatigue accumulée au cours des deux précédentes nuits agitées, c'était exactement ce qu'il me fallait pour m'endormir.

Je glissai dans le néant, sans même une pensée pour le Mur, pour Blue et pour La Lame, la main de Starlette me caressant doucement les cheveux.

Je crois qu'elle ne dormit pas cette nuit-là.

CHAPITRE XI

Le jour se levait, aussi sombre qu'un crépuscule d'hiver.

J'avais la langue gonflée, grumeleuse et le réveil très incertain. Je me sentais nettement faiblard, comme parfois aux lendemains des nuits de grande bouffe, quand le Jongleur ramenait de pleines camionnettes d'alcool. J'essayai de mettre de l'ordre dans mes idées. J'aperçus, au pied du lit, ma tenue et mes patins de combat que Starlette avait soigneusement préparés. L'éclaircie creva les nuages. Je me souvins très exactement quel jour nous étions. Alors, la trouille arriva, aussi brutale qu'un raz de marée, m'essorant l'estomac, me nouant la tripaille. J'avais la nausée. Je me penchai hors de la couche de laine et crachai sur le sol une flaque de bile jaunâtre.

Starlette apparut, inquiète.

— T'es malade ?

Je secouai la tête.

— Non, non, ça va, balbutiai-je, balayant un filet de bave qui me dégoulinait des lèvres.

Starlette me regardait, pas convaincue. Son attitude compatissante m'énerva et j'oubliai toutes mes bonnes dispositions envers elle.

— Ça va, grognai-je. C'est pas la première fois que j' dégueule en me levant. Pas la peine d'en faire un fromage.

Starlette fit la moue.

— Faudrait que tu te lèves, annonça-t-elle, calmement. Les deux premiers groupes sont déjà partis. Marrant est passé te chercher, mais tu dormais encore.

Un nouveau spasme m'envoya à dame et je vomis une nouvelle fusée de bile. Je souffrais comme un damné. Je tendis la main.

— Passe-moi mes frusques, demandai-je.

Le Skin à qui avait été confié le commandement du premier groupe d'assaut vérifia rapidement ses effectifs. Personne ne manquait au rendez-vous. Blue avait craint, jusqu'au dernier moment, qu'un clan ne leur fasse faux bond, ne leur pose un lapin. Il redoutait particulièrement les Youves dont la réserve ne lui paraissait pas de bon augure. Cette crainte s'avéra injustifiée. Les Youves étaient là, prêts à combattre, comme tous les autres.

Le Skin tiqua un peu en voyant la bande d'éclopés et de chiftirs que lui avait envoyés La Lame. Pas d'illusion à ce sujet, c'était vraiment le rebut des Saignants qui trottinait en queue de peloton.

Les Bouleurs, à vrai dire, ne valaient guère mieux. Leur front meurtrier, ils le portaient plutôt bas, ceux-là. Y avait même, un comble, un petit paquet de nains avec des plaques frontales taillées sur mesure. Là aussi, fallait pas se leurrer, c'était du fond de tiroir.

Les Patineurs présents n'étaient visiblement pas des épées et les Youves n'étaient pas très nombreux.

Le tableau n'était pas réjouissant. Le Skin, d'abord flatté de l'honneur que son chef lui avait fait en lui confiant la responsabilité de la première armée, comprenait à présent le mécanisme du cadeau empoisonné.

Pour couronner le tout, la touche finale, les Skins, qui avaient troqué leur tenue dorée pour un uniforme gris sale, étaient ce qu'on trouvait de pire dans le territoire. Un ramassis d'ivrognes, de défoncés, de sinistres plaisantins qui n'auraient pas été foutus de flinguer une brebis coincée dans une cave.

La première armée était en route.

Ordre : Foncer sur le Mur, tuer un maximum de Néons et tenir le plus longtemps possible.

Le Skin observa à nouveau ses troupes.

Ça risquait de pas être triste.

Il s'arrêta au bord du boulevard et regarda défiler ses cent soixante-dix mille ringards. Il n'avait encore jamais imaginé une farce aussi énorme. Et pourtant, dans le domaine de la plaisanterie bouffonne, il croyait être passé maître. Les plus grosses conneries perpétrées par les Skins, il en était systématiquement l'inventeur. Dans le fond, c'était peut-être même pour ça qu'on lui avait confié ce commandement. Pour bien se poiler jusqu'au bout. A ses dépens, pourtant, la farce, il la trouvait saumâtre.

— Dites, chef! gueula un Saignant borgne qui se curait les chicots avec une rapière. C'est encore loin l'hospice?

— Ferme ta gueule et marche! grogna le Skin, désabusé.

Car c'était bien de ça qu'il s'agissait en fait. Le fameux « Marche ou crève », c'était le bon temps. Maintenant, c'était « Marche et crève ». Le menu complet, quoi.

Je m'habillai, fébrile. J'avais la pogne tremblante en bouclant mes patins de combat. Ça me semblait pas possible, cette chierie. Je croyais que j'allais émerger d'un cauchemar, d'un entrelacs compliqué de rêves absurdes. Cette attaque contre les Néons, aux côtés de La Lame et autres monstres, j'avais dû l'imaginer, un soir de beuverie, et je couvais dans le délire.

Le regard de Starlette me remit les pieds sur terre. C'était vraiment pas du flan. Et moi, comme un branque, j'allais suivre le troupeau. Je crois même que, par moments, j'avais dû bêler pour qu'on aille plus vite à l'abattoir. Après tout, dans cette entreprise, j'avais été le bras droit de Blue. Le projet, sa préparation, la réunion, la fouille, la discussion, j'y étais!

J'avais participé à tout. Je n'avais pas même l'excuse de ceux qui fonçaient sans savoir.

Marrant entra dans la pièce, gloussant nerveusement comme d'ordinaire. Ça lui calmait apparemment pas son tic, l'idée d'aller affronter les Néons.

— T'es pas encore prêt ? s'étonna-t-il.

— J'arrive.

Marrant s'esclaffa.

— Putain, ce Tout Gris ! On va passer et lui il dort ! A croire que tu t'en fous ! Tu t' rends pas compte, parole. On va enfin savoir ce qu'il y a derrière ce foutu Mur ? J'ai l'impression qu'on va mettre nos patins sur une autre planète, un monde inconnu...

Je hochai la tête.

— C'est tout à fait ça, soupirai-je, un monde inconnu. A part notre territoire, la Cité entière est un monde inconnu. Un labyrinthe de mort. Je me demande pourquoi on cherche à passer ce Mur puisqu'on n'est pas même capable de vivre correctement ici.

Marrant regarda Starlette, stupéfait.

— Qu'est-ce qui lui prend ? demanda-t-il.

Starlette haussa les épaules sans répondre. Elle devait savoir, pourtant, ce qui se passait dans ma tête. Elle me devinait bien mieux que je ne le soupçonnais.

Je me levai et vérifiai d'un coup d'œil mon harnachement. Tout semblait coller au poil. Je fixai la dragonne de ma matraque métallique à mon poignet.

— Et si y avait rien ? soufflai-je.

— Pardon ?

— Derrière ce mur, précisai-je, si on trouvait rien.

Marrant fronça les sourcils.

— Comment ça, rien ?

J'écartai les mains.

— Rien ! Que dalle ! Nib que t' chi ! Qu'on se défonce pour la peau...

Marrant esquissa une grimace.

— Blue m'a souvent dit que t'étais un compliqué, murmura-t-il, et je commence à le croire.

Je me mis à sourire.

— Laisse tomber, Marrant. J' déconne.

Marrant parut soulagé.

— Allez, magne-toi ! La troisième armée vient de décarrer et notre groupe se réunit sur l'esplanade.

Je le suivis, claquant la porte derrière moi, sans un baiser, sans un mot, sans même un regard pour Starlette. J'étais vraiment complètement à côté de la plaque.

Si avec le premier groupe d'assaut, on touchait le fond de la décrépitude humaine, avec la quatrième armée, en revanche, on avait affaire à l'élite. Les cinq chefs de chaque clan admiraient leurs hommes alignés sur l'esplanade du Trocade, débordant sur le circuit périphérique des Patineurs, émargeant sur les frontières. Un océan de combattants qui ondulait en vagues régulières jusqu'à perte de vue. Le nec plus ultra de la guérilla urbaine était là, rangé sous leurs yeux, prêt à se lancer dans une véritable guerre. Et s'il y avait eu encore quelques doutes sans certains esprits, ils étaient balayés, anéantis, mis au rancart par l'impressionnant spectacle. Oui, maintenant, ce projet semblait crédible. Palpable. Les Néons, déjà harcelés d'autre part, n'allaient jamais pouvoir résister à ça. Les Patineurs les plus rapides, les Saignants les plus adroits, les Bouleurs les plus athlétiques, les Skins les plus féroces et les Youves les mieux armés, ils étaient tous là, réunis dans une seule et même armée qui paraissait invincible.

La Lame était ému et Blue surexcité. Jamais dans ses ambitions les plus folles, il n'avait osé imaginer parvenir à un pareil résultat. Jusqu'au tout dernier moment, il avait douté, craignant que le moindre incident vienne souffler son bel édifice. Tout, absolument tout, s'était déroulé comme il l'avait souhaité.

— Dommage, murmura le Bouleur.

Blue s'étonna.

— Pourquoi ça, dommage ?

— Parce qu'avec ça, expliqua-t-il en montrant l'armée, nous aurions pu rayer les Musuls de la carte.

La Lame se mit à tousser. Nul doute que l'idée ne l'ait effleuré, lui aussi.

— On s'en tape, des Musuls ! s'emporta Blue. Dans deux heures au plus, ce sont les Néons et le Mur que nous aurons gommés de la carte ! C'est tout de même autre chose, non ?

Le Bouleur hocha la tête, apparemment pas tout à fait convaincu.

Le chef des Skins s'approcha.

— Alors, on y va ? grogna-t-il. Parce qu'à force de les regarder, ils vont finir par s'user.

Respectueux des accords passés et des résultats du vote, dont le principe continuait à impressionner La Lame, tout le monde attendait les ordres de Blue.

Et Blue donna un long et vigoureux coup de sifflet qui se répercuta longtemps dans les ruines de la Cité.

Ce coup-ci, c'était parti pour de bon. Une nouvelle croisade pour l'ambition suprême : Passer !

Je patinais sur la première ligne de notre caste, entre Blue et Marrant. Au fur et à mesure que nous avancions, je me sentais regonflé, ragaillardi. J'étais très impressionné. Chaque combattant dans cette armée d'élite devait être pénétré par un même sentiment de puissance fantastique, d'invulnérabilité. Je commençais sérieusement à y croire. Nous n'allions pas au suicide.

Passer !

Passer !

Le mot d'ordre martelait chaque pas, chaque mètre qui nous rapprochait du Mur.

Passer !

Passer !

C'était comme la rumeur d'un cataclysme, le grondement d'un tremblement de terre.

Les nuages de poussière noire, au-dessus de nos têtes, s'étaient encore épaissis. On avait du mal à admettre qu'il faisait jour.

Blue était un excellent guerrier et un bien meilleur stratège encore. Comme il l'avait prévu, les Néons se regroupèrent très rapidement lorsque la première armée donna l'assaut, mais ils montrèrent moins d'efficacité que d'ordinaire. L'activité de la Cité étant essentiellement nocturne, les Néons furent apparemment désorientés par cette attaque matinale. D'autre part, ce genre d'agression massive ne s'était plus produit depuis fort longtemps, et les Néons, bien qu'étant en permanence prêts à y répondre, réagirent avec un léger temps de retard. Ce qui aurait surpris Blue s'il avait eu l'occasion de l'observer, c'est cette armée, la lie de la Ville, qui éventra littéralement les premiers rangs de barbelés, faisant des dégâts considérables dans les lignes Néons. Ils ne se battaient certes pas de façon très orthodoxe, mais ils se battaient. Avec une énergie farouche et avec, finalement, davantage la volonté de détruire que celle de passer.

Pour un Néon qu'ils massacraient, dix autres arrivaient. Sur les flancs, à droite à gauche, balayant le champ de bataille de leurs jets de lumière bicolore.

Une forte odeur de chair carbonisée se répandit dans la Cité.

Cinq kilomètres plus loin, le deuxième groupe d'assaut s'élança.

*
**

Avec davantage d'intelligence et de science du combat, les Youves, nombreux dans cette seconde armée, empêchèrent les Néons de se replier et d'organiser leur traditionnelle défense en étau. L'un d'entre eux, resté à proximité de la ligne de blockhaus, se désintéressait totalement de la bataille et pilonnait le Mur au mortier. Vainement. Chaque impact creusait un cratère dans la paroi de béton, mais ne le perçait pas. Le grand handicap des combattants, finalement, était d'ignorer à peu près tout du Mur qu'ils devaient franchir. Ils ne savaient ni sa résistance, ni sa largeur, ni l'importance de ses fondations.

Les proximités souterraines du Mur étaient de la véritable dentelle, constellées de galeries, plus ou moins profondes, qui s'entrecroisaient pour se heurter toujours à la masse enterrée du Mur. A une époque, pas si lointaine, il ne se passait pas une semaine sans que quelques hommes d'un clan n'entament un nouveau tunnel. On avait creusé très loin dans le sol, aussi loin que possible, jusqu'à la limite des conditions de survie, mais toujours le Mur était là. Il paraissait encore plus important sous terre que dehors. Les Néons semblant se moquer éperdument de ce qui se passait sous leurs pieds, les combattants avaient fini par conclure que le passage était impossible par ce chemin-là. La mode des tunnels était terminée.

La seconde armée connaissait à présent d'immenses difficultés. Le premier groupe d'assaut, anéanti, n'avait pas résisté suffisamment longtemps pour les soulager. Les Néons arrivaient, toujours plus nombreux.

Reno s'était éclaté quatre Néons à lui tout seul. Il donnait du front dans tous les sens, poussant des hurlements fanatiques. Aveuglé par sa rage de vaincre, il ne s'était pas encore rendu compte que les combattants ne progressaient plus. Ils étaient stoppés au niveau de la troisième rangée de barbelés et arrosés par un océan de lumière meurtrière. Reno voulut avancer. Il poussa un cri de douleur et s'effondra dans la poussière. Il regarda, horrifié, l'endroit de sa jambe où le rayon bicolore l'avait touché. A la place du mollet gauche, un trou gros comme le poing, propre, net, la circonférence cautérisée, la chair noire et recroquevillée. Alors seulement la réalité lui apparut. Il vit le carnage autour de lui, tous ces hommes cisaillés par l'énergie mystérieuse des Néons, tous ces gémissements qui montaient comme un lourd réquisitoire vers le ciel de poussière, toute cette viande humaine qui brûlait...

Un rayon le frôla. Il en sentit la terrible chaleur. Il baissa la tête, ce qui chez les

Bouleurs était le signe du renoncement, et se mit à trembler, éperdu.

Quelqu'un l'agrippa par les aisselles et le tira vers l'arrière. Reno tourna la tête.

— Cork ! souffla-t-il.

— Eh oui ! C'est moi, espèce de tête de mule ! rigola le jeune guerrier Bouleur.

Reno ne savait plus s'il devait pleurer ou rire. Cork, Cork son fils spirituel, était venu lui sauver la vie, l'extirper de l'enfer. Cork le traîna jusqu'à l'intérieur d'un blockhaus dont l'issue vers la Cité était condamnée. Il y faisait une chaleur suffocante, à faire fondre une plaque frontale. Les rayons des Néons qui venaient frapper les parois de l'abri l'avaient littéralement transformé en four. Reno respirait rapidement, la bouche grande ouverte. Le tour de ses yeux devenait blanc. Cork se pencha et commença à le débarrasser de sa tenue de combat et des arceaux d'acier qui lui comprimaient la poitrine.

— Qu'est-ce que tu fous ici ? murmura Reno.

— J'avais pas fini de t'expliquer, hier, fit Cork. T'es un têtu, Reno.

Il désigna le champ de bataille où les ultimes combattants finissaient de mourir.

— C'est ça que je voulais te montrer, continua-t-il. Ils vous ont envoyé à l'abattoir. J'ai bien étudié leur plan. Il n'y a que la quatrième armée qui a une chance de passer. Tous les autres sont condamnés.

— On a failli y arriver ! protesta Reno.

Cork haussa les épaules.

— Des conneries ! Vous avez passé deux rangées de barbelés, et c'est tout. Des centaines de milliers d'hommes sacrifiés. Dans un siècle, cette Cité portera encore dans ses murs l'odeur de la curée.

Reno ferma les yeux. Il grimaça.

— Mais toi, Cork, tu faisais partie de la quatrième armée. Tu devais combattre aux côtés des chefs...

Cork ne répondit rien.

— Pourquoi tu es venu, Cork ? demanda Reno avec une voix de plus en plus faible. Je me suis trompé. Tu veux vraiment passer. Plus que tout. Franchir ce Mur, c'est toute ta vie. Pourquoi tu es venu ?

Cork secoua lentement la tête. Sa plaque frontale brillait dans la pénombre.

— On va aller se planquer, hein, Reno ? Tous les deux. Rien que tous les deux

Le jeune Bouleur s'approcha et prit la tête de Reno dans ses bras. Ses doigts caressèrent les boursouflures qui entouraient la plaque de son ami.

— Tu verras, Reno. On s'ra aux œufs, là-bas...

CHAPITRE XII

Les Néons commençaient à montrer quelques signes de faiblesse. Leurs défenses se clairsemaient et leur organisation cédait peu à peu à la panique. La tactique de Blue commençait à porter ses fruits. On vit même à plusieurs reprises des gardiens néons, leur système de communication perturbé par les multiples attaques et les appels de détresse qui s'ensuivaient, courir de gauche à droite, sans parvenir à se décider sur la direction à prendre. Ce spectacle des Néons en déroute aurait probablement réjoui Blue. Les événements lui donnaient raison.

La troisième armée eut sa chance. Plus puissante encore que les deux précédentes, elle ne fut brutalement stoppée qu'à quelques mètres du Mur. Quelques combattants parvinrent même à franchir la dernière ligne de barbelés et toucher le Mur. Avec leurs mains ! Ils n'avaient jusqu'à présent fait que le caresser des yeux. Ils y étaient ! Malheureusement, c'était toujours pas en se faisant la courte échelle qu'ils arriveraient au sommet.

De leur côté, les Youves mettaient le paquet. Grenades, mitrailleuses lourdes, bazookas, tout leur échantillonnage y passait, mêlant dans l'atmosphère torride odeur de poudre et de chair calcinée.

Le Mur tenait toujours. Et les Néons accouraient, furieux, encore plus forts, comme le courant d'un fleuve un instant détourné par un barrage de fortune.

A l'opposé de la Cité, au cœur du territoire musul, la reine Soliane était sortie du souterrain. Elle se tenait aux côtés de Jed et de quelques autres notables. Le fracas de la guerre et la puanteur de la mort étaient parvenus jusqu'à leur quartier. Le nuage de poussière noire devenait de plus en plus épais et tourbillonnait lentement de plus en plus près du sol. Une nuit de cendres tombait sur la Cité.

— Je n'aime pas ça, murmura Soliane.

Jed hocha la tête.

— Blue nous a bien possédés, reconnut-il. La fille avait raison. Ils attaquent les Néons.

Soliane grimaça.

— Ce n'est pas de cela que je parle ! Mais de ça !

Elle montra l'écran de ténèbres qui descendait, inexorablement, heure après heure.

— Le sang de nos morts retombera sur vos têtes, récita-t-elle d'une voix rauque.

Jed regarda sa souveraine, surpris.

*
**

La Lame avait sa banane des grands jours. Gominée et agressive. Laquée de salive, encadrée de rouflaquettes raides comme des colonnes d'ébène. Il était allongé aux côtés des quatre chefs de clans, juste à la droite de Blue, les yeux au ras de la meurtrière du blockhaus, observant les rangées de barbelés et le Mur désertés par les Néons. Derrière eux, à deux cents mètres, la quatrième armée attendait, piaffant d'impatience.

— Ça fait un moment qu'on n'en a pas vu passer, remarqua le vieux Saignant.

Depuis plus de dix minutes maintenant, plus un crâne n'était passé devant eux. La zone était désertique.

— Qu'est-ce que ça veut dire ? souffla le chef des Bouleurs.

— Que la totalité de leurs effectifs se bat contre la troisième armée, expliqua Blue.

Il s'agenouilla. Les autres chefs, l'imitant, se relevèrent également.

— C'est par la gauche que les Néons reviendront, poursuivit le Patineur à la mèche bleue. Il faut donc que toute notre puissance soit concentrée sur ce point.

— Et s'ils arrivent de l'autre côté ? s'inquiéta La Lame.

Blue fit la moue.

— Je ne crois pas, mais, de toute façon, c'est un risque à courir.

La Lame grogna mais n'ajouta aucun commentaire.

— Putain ! siffla le chef des Skins. Si ce nuage continue à descendre, il va bientôt faire plus noir qu'en pleine nuit.

Blue se tourna vers le Youve.

— T'es sûr que tes engins vont pouvoir expédier les grappins là-haut ? demanda-t-il.

— Evidemment, répondit aussitôt le Youve, avec hargne.

Blue hocha la tête.

— Alors, on va pouvoir y aller, décida-t-il.

Blue avait l'impression de se lancer du sommet d'un toboggan gigantesque, dont il avait étudié chaque courbe, mais dont il ignorait l'aboutissement. Une fois parti, il n'existait plus un seul moyen pour rebrousser chemin. Il sentit son cœur battre un peu plus vite dans sa poitrine.

Marrant, appliqué, se roulait une cigarette. Un gros module. Il avait collé dans le papelard près de la moitié de son paquet de tabac et remis le reste à sa ceinture. Fétichiste. Il voulait pas donner l'impression de griller la der. Je commençais à me demander si son rêve, à Marrant, c'était pas de trouver derrière ce mur des étendues infinies de plants de tabac. S'asseoir au milieu des larges feuilles vertes, se les rouler, peinard, les arpions au frais et partir en fumée dans un dernier éclat de rire. Jusqu'à quel point se sentait-il concerné par cette guerre, Marrant? Je l'ignorais, mais j'avais remarqué à de multiples reprises ses fréquents regards vers les combattants bouleurs. Et, dans ces moments-là, lorsqu'il les frimait en douce, il se remettait à glousser de plus belle. Son cauchemar, il le gardait planté dans le cœur, comme une aiguille qui distillait quotidiennement sa dose de malheur.

— T'en veux une? me demanda-t-il, brusquement.

Je refusai.

— Non, merci. J' sais pas ce que tu colles dans tes clopes mais je suis encore à moitié dans les vapes.

L'œil de Marrant pétillait de malice. Les livraisons spéciales du Jongleur, elles devaient pas être ordinaires. Le tabac du Marrant, c'était évidemment pas celui d'un autre. Je n'avais pas parlé de la mort du Jongleur, de la façon atroce dont Blue l'avait sacrifié, ni à Marrant ni à personne. Et on ne m'avait d'ailleurs pas posé de questions à ce sujet. La mort était devenue une banalité. Pourtant, garder ça pour moi n'était pas chose facile.

Je regardai les Patineurs autour de nous. C'était véritablement la crème. Pas un combattant sous le mètre quatre-vingt-dix. Des colosses aux regards assassins. Le fer de lance du clan. Je détonnais un peu. Je n'avais pas la moitié de la valeur guerrière du plus faible d'entre eux. Je bénéficiais sans nul doute d'un privilège dont je ne mesurais pas encore vraiment les causes. Je ne me sentais pas réellement flatté, mais j'étais surtout soulagé de n'avoir pas dû partager le sort des combattants enrôlés dans les trois autres armées. Mon manque d'ardeur au combat m'y conviait pourtant. Mais, après tout, peut-être allions-nous connaître un sort moins enviable encore que celui des hommes qui avaient succombé sous le feu des Néons ?

Il y eut plusieurs coups de sifflet, suivis d'une énorme clameur. L'ordre d'avancer venait d'arriver. J'avais le palpitant qui faisait des loopings.

Blue se fraya un chemin jusqu'à nous. Il tenait sa hache dans une main et un puissant revolver dans l'autre.

— Je veux que vous restiez à mes côtés, toi et Marrant ! ordonna-t-il. Ne vous occupez de rien d'autre que de me suivre.

Je jetai un regard intrigué vers Marrant. Comme gardes du corps, il aurait pu mieux choisir.

Une poignée de Youves furent les derniers survivants de la troisième armée. Restés en retrait lors de l'affrontement, ils continuaient avec un acharnement fanatique à pilonner le Mur. Des pans entiers de béton s'écroulaient, soulevant des cyclones de poussière, mais toujours pas la moindre percée.

— C'est pas possible, répétait l'un deux, le visage noirci de poudre, l'arcade droite éclatée. C'est pas possible. On n'y arrivera jamais.

Il rechargeait et il tirait. Des cratères de plus de trois mètres de profondeur s'ouvraient dans le Mur, des brèches hallucinantes. La muraille refusait toujours obstinément de livrer son secret.

Le nuage de poussière noire masquait à présent le sommet du Mur. Ça risquait d'être un sérieux handicap pour les hommes de la quatrième armée qui avait choisi de l'escalader plutôt que de le percer. Les traits de lumière bicolore commençaient à se rapprocher dangereusement de l'artillerie des Youves. Le combat, au front, devait toucher à sa fin.

— C'est pas possible ! grogna encore le canonnier.

Un de ses compagnons lui fila un coup de coude.

— Ça sent mauvais ! gueula-t-il. Tirons-nous !

L'autre secoua la tête, buté.

— Pas maintenant. Je vais y arriver !

— Déconne pas, insista son pote. Si ça se trouve, ce putain de Mur fait un kilomètre de large ! Allez, viens ! Cassons-nous pendant qu'il est encore temps.

Un trio de Youves accompagnés d'un Saignant dont le bras droit avait été sectionné au niveau du coude s'éloignaient vers la Cité. Vaincus, ils renonçaient.

— Merde ! s'écria le Youve. On a fait notre boulot ! Qu'est-ce que tu veux de plus ?

Il ponctua son appel d'une giclée de plombs en direction d'une troupe de Néons qui avançaient vers eux.

— Fous-moi la paix ! s'énerva le canonnier. Tire-toi si tu veux.

Le Youve hésita une seconde, haussa les épaules et battit précipitamment en retraite, le dos courbé vers l'avant.

Un nouveau pan de Mur dégringola, découvrant sa chair de béton.

— C'est pas possible, c'est pas possible...

Je commençais à croire que les Néons n'arriveraient jamais, qu'ils avaient, peut-être, été tous tués par les armées précédentes. Mon espoir fut de courte durée. Ils étaient toujours vivants, et bien vivants !

On était dans le noir complet. Le nuage qui continuait à descendre vers nous en volutes menaçantes ne laissait plus filtrer la lumière du jour. L'obscurité avantageait indéniablement les Néons. Ils n'avaient apparemment pas besoin d'y voir pour diriger leurs lances. L'autre problème était que nous ne distinguions plus le sommet du Mur. Pour le tir des grappins, ça risquait d'être frisou. Nous étions arrivés sans encombre à l'avant-dernière rangée de barbelés quand les Néons attaquèrent sur notre flanc gauche, comme, une nouvelle fois, Blue l'avait prévu.

La secousse fut terrifiante. Je n'imaginais pas qu'on puisse tuer autant d'hommes en si peu de temps. Immédiatement, suffocante, l'odeur de chairs brûlées me prit à la gorge. Les Néons se battaient avec l'énergie du désespoir. Je les soupçonnais d'avoir enfin compris, mais un peu tard il est vrai, la stratégie de Blue. Ils devaient savoir que s'ils parvenaient à repousser cette quatrième armée, il n'y aurait plus d'autre attaque avant longtemps. Ils se lançaient à corps perdu contre nos remparts de guerriers.

Le front se situait approximativement à cinq cents mètres de nous. Les lueurs des explosions et les jets de lumière bicolore éclairaient la nuit de crasse. J'éprouvais la sinistre impression que nous perdions du terrain, que la lumière fluorescente des Néons se rapprochait de l'endroit où nous nous trouvions. La plus puissante armée jamais réunie dans cette Cité vacillait sous les coups de boutoir des gardiens aux crânes comme un colosse aux pieds d'argile.

Blue donna l'ordre à la vague des Patineurs de se lancer contre les Néons. La Lame en avait fait de même avec ses Saignants quelques secondes plus tôt.

Marrant voulut s'élancer, mais Blue le retint par le bras.

— Reste ici, toi, grogna Blue.

Marrant demeura planté, le regard vague, la

mâchoire inférieure pendante. Sa clope monumentale lui faisait un drôle d'effet.

Blue se retourna.

— Les grappins, vite ! gueula-t-il.

Blue venait de comprendre, comme la plupart d'entre nous, que nous n'avions plus la moindre chance de vaincre les Néons. Il voulait fuir, fuir cet enfer qui se rapprochait inexorablement, mais fuir de l'autre côté du Mur. Le chef des Bouleurs s'approcha de lui.

— Au point où on en est, déclara-t-il tranquillement, je préfère aller me battre avec mes hommes.

Blue esquissa un geste d'agacement, signifiant qu'il n'avait strictement rien à foutre des états d'âme du Bouleur. Il avait d'autres sujets d'inquiétude. Les dix premiers grappins venaient de retomber au sol.

— Faites un effort ! hurla Blue aux lanceurs youves.

— C'est facile, grommela l'un d'eux. On n'y voit que dalle.

Je jetai un coup d'œil vers le front qui semblait s'être stabilisé. Il est vrai que nous venions d'envoyer le plus gros de nos forces. Si ceux-là cédaient aussi, les Néons ne mettraient guère de temps pour arriver jusqu'à nous. Blue devait éprouver les mêmes craintes. Il sentait poindre le spectre hideux de la défaite. De l'échec total.

Le deuxième essai des lanceurs ne fut pas plus fructueux. Pas un grappin ne resta accroché au sommet du Mur. J'étais paralysé par la trouille. Cette peur panique, La Lame, lui, ne semblait pas l'éprouver, mais il s'était remis à tousser et à cracher du sang. S'il ne passait pas aujourd'hui, cécolle, il n'aurait probablement pas de seconde chance. Et encore ! Finalement, de l'autre côté, il voulait y aller pour crever.

— Essayez encore ! s'égosilla Blue, frénétique, serrant le manche de sa hache à s'en briser les phalanges.

Tous les Musuls, apeurés par l'écran de ténèbres qui n'était plus qu'à une dizaine de mètres du sol, s'étaient terrés dans leurs souterrains. La plupart d'entre eux priaient, agenouillés. Ils retrouvaient, devant l'inconnu, les traditions ancestrales, les gestes de supplique de leurs ascendants.

Dans la luxueuse pièce qui lui était réservée, Soliane se goinfrait de petits cubes de viande séchée. Elle suçait l'huile qui dégoulinait sur ses doigts, tout en regardant Jed, le seul combattant qu'elle avait consenti à garder près d'elle.

Jed, malgré son âge et son expérience, était effrayé devant cette nuit qui s'abattait sur la Cité.

— Ils ont provoqué la colère des dieux, murmurait-il.

Soliane émit un petit rire aigu.

— Les dieux n'existent pas, Jed. C'est la colère de l'Histoire...

— Nous allons tous mourir, fit Jed d'une voix plaintive.

Soliane se remit à rire.

— Quel farouche guerrier tu fais ! ricana-t-elle.

Elle reprit aussitôt son sérieux et regarda attentivement le vieux Musul. Ses yeux brillaient.

— Tu bandes encore, Jed ? murmura-t-elle.

Trois des dix grappins restèrent accrochés. Je regardai, fasciné, les trois échelles de corde qui semblaient s'enfoncer dans une mer d'encre. C'est à ce moment précis que la quatrième armée s'effondra. Les Néons, survoltés, éventrèrent les rangs de nos plus glorieux combattants comme s'il ne s'agissait que d'une troupe de Krishies. Les gardiens-crânes gagnèrent cinquante mètres en vingt secondes. Et ils progressaient, à présent, de plus en plus vite. Je me laissai aller dans mon bénouze, pétrifié.

— Allez ! avait hurlé Blue en nous poussant.

Il s'était lancé sur une corde et commençait à grimper. La Lame avait saisi une deuxième échelle et entreprenait de grimper à son tour, beaucoup moins habilement que Blue, retardé par des crises de plus en plus convulsives. Le chef des Skins escalada la dernière corde, rapide comme un singe. Je me plaçai juste derrière lui.

Marrant n'avait pas bougé. Je me retournai, perché à trois mètres du sol.

— Marrant ! gueulai-je. Amène-toi !

Mais Marrant ne m'écoutait pas, ne m'entendait pas. Il restait immobile, tout entier à l'intérieur de lui-même. Un rayon bicolore frappa le Mur, à vingt centimètres de ma main. Je grimpai comme un fou, rejoignant presque le Skin qui, pourtant, pleurait pas l'huile de coude.

En bas, la victoire des Néons était absolue. Cette perspective paraissait décupler leurs forces. Nos survivants étaient cisaillés par paquets de cinquante. La résistance était anéantie, piétinée, humiliée. Les rayons bicolores étaient à présent tellement serrés qu'ils formaient une masse lumineuse compacte à travers laquelle personne ne survivait.

La Lame grimpait avec difficulté. Blue avait disparu dans le nuage et le chef des Skins s'apprêtait à le faire lorsqu'un des rayons meurtriers le toucha en plein milieu du dos. Il poussa un hurlement, mi-rage, mi-désespoir. Il lâcha prise, d'une main d'abord, restant accroché de l'autre, se balançant doucement.

Un nouveau rayon sectionna le grappin de Blue, faisant tomber deux combattants qui suivaient, mais Blue était déjà passé.

Le Skin se mit à crier. Je ne pouvais pas l'éviter. Il tomba sur moi, m'assommant aux trois quarts. Je ne sais pas comment j'ai pu rester accroché. La peur de tomber, à mon tour, sans doute. De tomber au milieu de cette mort implacable, en bas, qui m'attendait, qui m'espérait, qui tendait vers moi ses griffes bicolores. Je crois que je pissai encore.

Les Néons s'étaient rendu compte de la présence des échelles, mais ils furent contrariés par toute une série de grenades balancées par les Youves qui préparaient leur retraite. La terreur qui m'avait si souvent paralysé m'aiguillonna. Je m'enfonçai dans le nuage de poussière. Instinctivement, tel un plongeur sous l'eau, je retins ma respiration. J'escaladais frénétiquement, les poumons au bord de l'explosion. Je sentais la chaleur menaçante des rayons qui frappaient le Mur, tout autour de moi. Ils tiraient au jugé. Le brouillard artificiel nous sauvait la vie. J'évitais malgré tout d'en respirer un bol. Je le devinais poison.

Le plafond de poussière n'était plus qu'à trois mètres du sol. Le chef des Youves se repliait avec une centaine de ses hommes, couvrant leur fuite par un feu nourri. Des cinq clans présents, ils étaient les seuls à avoir limité les dégâts. Leur perte en hommes restait importante, mais pas catastrophique. Ils étaient encore suffisamment nombreux et armés pour tenir leur territoire, même contre une éventuelle agression des Musuls. Le chef était satisfait. Il avait respecté les accords, mais avait également, lui, envisagé une probable défaite.

L'un de ses hommes s'approcha de lui et avança à ses côtés.

— Je crois que quelques types ont eu le temps de passer, déclara-t-il.

Le chef hocha la tête. Il pressa le pas. Le nuage le préoccupait. Il aurait bien voulu pouvoir rejoindre son quartier avant qu'il ne les atteigne. Car il n'avait aucun doute là-dessus, impossible de respirer dans cette purée.

Ma main heurta le support métallique du grappin, l'empoigna et, d'une seule poussée libératrice, j'émergeai en pleine lumière. Je poussai un hurlement de bonheur. J'avalai de pleines goulées d'air pur. Je regardai, fasciné, ébloui, aveuglé, ce ciel immensément bleu. Le ciel. Seigneur !

Je me rétablis sur le sommet du Mur et je manquai de me casser la figure. Le sol descendait en pente douce vers l'extérieur de la Cité, à perte de vue. Je ne m'étonnais plus de l'échec des canonniers. Des vagues compactes de poussière noire ondulaient vers la Cité, épaisse de dix centimètres, comme aspirées par un courant d'air. De longs rubans de crasse dans lesquels disparaissaient mes patins et qui se déversaient sur la Ville, alimentant l'énorme nuage qui la recouvrait.

Mes yeux me brûlaient. Je n'étais pas habitué à une pareille lumière. Ce ciel, ma mère ! Je n'étais pas venu pour la peau. Une étrange brise tiède me caressait les chevilles, entraînant dans son courant les flots de poussière. D'où sortait cette pourriture ?

Je regardai autour de moi. Et Blue ? Pourquoi n'était-il pas ici ? J'étais pourtant certain qu'il avait escaladé le Mur bien plus rapidement que moi. J'avais été sérieusement retardé par la chute du Skin qui m'avait rebondi sur la frite.

J'essayais de m'approcher de l'endroit approximatif où je situais les deux autres grappins quand La Lame émergea à son tour. Je vis d'abord apparaître sa main lourdement baguée, puis son visage couturé, sa banane défraîchie qui lui tombait sur les yeux, sa bouche grande ouverte qui aspirait goulument l'oxygène. Il marqua, tout comme je l'avais fait, un temps d'arrêt, mi-repos, mi-surprise devant ce ciel sans tache. J'arrivai jusqu'à lui. Il plissa les yeux.

— C'est toi, p'tite roulette ? grogna-t-il.

J'eus l'impression qu'à ce moment-là, dans l'intensité lumineuse, il me reconnut. Il se souvint de l'enfant dont il avait massacré la mère. Du moins, je souhaitai qu'il s'en souvienne.

La pointe de mon patin heurta violemment son visage. J'entendis nettement les os craquer. A la place de son nez, il y avait un trou grotesque. Il tardait à tomber, s'accrochant au grappin comme un naufragé à sa bouée. Son obstination à vivre m'irritait. Je lui décochai un autre coup. Sûrement le shoot le plus formidable jamais enregistré de mémoire de Patineur.

La tête du vieux Saignant explosa, décapité comme ces singes dont on mange la cervelle encore tiède. Il disparut dans le nuage, ralenti dans sa chute par une de ses mains raidie autour de la corde.

Et Blue émergea…

⁂

Je grimaçai. Je comprenais à présent pourquoi Blue avait tant tardé. Je lui tendis la main et l'aidai à grimper sur le sommet du Mur. Il avait été touché par un des rayons bicolores, juste au-dessus du nez. Le trait lumineux lui avait littéralement gommé les yeux, lui creusant un sillon carbonisé dans toute la largeur du visage. Comment avait-il pu, après cette blessure atroce, avoir le courage, la volonté de parvenir jusqu'ici ? Il avait livré un combat bien au-dessus de ses forces et se trouvait à présent aussi faible et désemparé qu'un nouveau-né.

Je le forçai à s'asseoir, le cul dans le courant de poussière. Il était exsangue, à demi-asphyxié, respirant difficilement. Je n'imaginais pas qu'un homme puisse repousser la mort jusqu'à ce point. Je le regardai, halluciné par le spectacle de sa métamorphose. Je le sentais concentré sur chaque battement de son cœur, comme si, à chaque fois, il s'agissait d'un nouveau miracle. Il prenait garde de ne pas respirer trop fort, pour ne pas affoler son organisme. Il ne donnait même pas l'impression de souffrir. Sa mèche qui reposait sur son épaule droite avait la couleur du ciel, de ce ciel que nous n'avions pas connu et que Blue ne verrait jamais.

— C'est toi, Tout Gris ? souffla-t-il.

— Oui.

Il se balançait doucement de gauche à droite.

— On est combien ici ?

Il récupérait incroyablement vite.

— Toi et moi, répondis-je.

— La Lame ?

— Mort.

Il hocha la tête, sans chercher à obtenir d'autres explications. Il continuait à être le chef. Il se comportait encore comme un chef, constatant une nouvelle fois qu'il avait eu raison, que j'avais saisi la première occasion qui m'était offerte pour descendre le vieux Saignant. Il n'en avait jamais douté. Tout comme il avait prévu que Marrant sécherait le chef des Bouleurs. Les Néons s'en étaient chargés à sa place.

Blue n'avait pas cessé de nous pousser comme de vulgaires pions sur l'échiquier de son ambition. Il avait voulu passer, oui, mais pas à n'importe quelles conditions, et surtout pas à celles de perdre le pouvoir, ce pouvoir qu'il adorait plus que tout. Chef à l'intérieur de la Cité, il voulait aussi l'être à l'extérieur. Même si, pour cela, il devait sacrifier des millions d'hommes et n'en commander, à la finale, qu'un seul. Je n'étais pas réellement disposé à lui donner satisfaction. J'avais mes yeux, lui non. Ça modifiait sensiblement le rapport de forces.

— Comment c'est, Tout Gris ? demanda-t-il

— Je ne sais pas encore. Il faut descendre.

J'évitai de lui parler de la couleur du ciel. Ce plaisir-là, je ne voulais même pas qu'il se l'imagine. J'aurais simplement voulu que tous les combattants morts au cours de cette matinée puissent l'admirer, rien qu'une fois. Mais Blue, aveugle, privé de la jouissance de sa réussite par le hasard, me semblait être le meilleur des symboles.

— Descendre..., répéta-t-il. Tu as récupéré une des cordes ?

— Non.

— Alors ? s'impatienta-t-il. Qu'est-ce que tu attends pour le faire ? Que les Néons aient fini de les griller ?

Je secouai la tête. Pauvre Blue. Misérable Blue que j'aurais pu laisser le fion planté là, dans la crasse ondoyante. Maintenant qu'il avait obtenu de moi ce qu'il désirait, il laissait éclater son mépris. Et s'il n'avait pas eu encore besoin de moi pour lui servir de guide, je pense qu'il m'aurait tué. Peut-être était-ce là le point final de son scénario ?

— C'est inutile, me décidai-je. Le Mur est en pente légère de ce côté-là. On a qu'à se laisser descendre sur nos roulettes.

— Formidable ! grogna-t-il.

Il tendit une main.

— Aide-moi à me relever.

Durant toute la descente, où j'évitai à grand-peine de nous laisser embarquer par la vitesse, je dus soutenir Blue qui avait nettement présumé de ses forces. Epuisé, le visage cyanosé, il demanda enfin à s'asseoir de nouveau.

— Ça n'en finira donc jamais ? murmura-t-il. Laisse-moi récupérer un peu et nous repartirons.

Repartir ? C'était inutile. Nous étions arrivés.

J'étais saisi d'un incoercible tremblement. Je claquais des dents et j'éprouvais les pires difficultés à conserver mon équilibre. La vérité me filait le vertige.

Devant moi, une immensité uniforme, noire, plaine de cendres plantée de courtes croix blanches alignées jusqu'à l'horizon. Les croix scintillaient sous le soleil. Dans ce décor d'effroi, absolument silencieux, évoluaient des centaines de milliers de Néons. Hommes prognathes au front fuyant, aux muscles noueux et aux jambes torses, plus régressés encore que les gardiens de la Cité. Ils circulaient avec leur démarche simiesque entre les croix blanches, fouillaient la cendre dont ils remplissaient parfois d'énormes urnes de pierre sculptée. Certains portaient les habituels crânes sur leurs têtes, dont je devinais à présent la provenance, d'autres non. Ceux-là remuaient l'infini de cendres avec davantage d'obstination que les autres, cherchant dans la poussière des morts le symbole intact de leur travail. Lorsqu'une des urnes était remplie, un Néon la portait jusqu'au bas de la pente, la déposait selon les lois d'une géométrie rigoureuse dont j'ignorais les principes et repartait parmi les croix. La brise tiède, alors, venait cueillir la cendre dans l'urne et la poussait en d'interminables rubans de fumée noire vers les hauteurs du Mur, vers la Cité devenue Nécropole.

Quelques Néons, dépourvus de chapeaux osseux, s'étaient arrêtés de fouiller et nous regardaient. Je crois qu'ils observaient surtout nos têtes. Nos crânes les intéressaient.

Les autres poursuivaient leur travail, sans se soucier le moins du monde de notre présence.

Passer...

Nos Néons aux peintures guerrières n'étaient que les gardiens du plus grand cimetière de l'univers. Et ceux-là n'en étaient que les fossoyeurs, porteurs d'urnes, porteurs d'une Histoire qui ne voulait plus se recommencer.

Je parcourus d'une légère poussée les derniers mètres de béton et je posai un patin dans l'épaisseur de cendres.

Blue, alerté par le bruit des roulettes, se mit à crier :

— Tout Gris ? Où tu vas ? Ne m' laisse pas ! Fumier ! Ordure !

Il continuait à hurler, pitoyable.

Je m'avançai vers un groupe de Néons. Ceux-là n'avaient pas de galure ; j'allais en faire un chouette.

PRODUCTION
EDITO-SERVICE S.A., GENÈVE

IMPRIMÉ EN ITALIE